GESTÃO & CONTABILIDADE
para pequenas empresas

preparando-se para crescer

© 2014 by Joaquim José Fagundes Rocha

1ª edição outubro 2014
Direitos desta edição reservados à
SEMENTE EDITORIAL LTDA.

Av. José Maria Gonçalves, 38 – Patrimônio da Penha
29590-000 Divino de São Lourenço/ES
Tel.: (28) 3551.1912

Rua Soriano de Souza, 55 casa 1 – Tijuca
20511-180 Rio de Janeiro/RJ
Tel.: (21) 2567.2777 (21) 98207.8535

contato@sementeeditorial.com.br
www.sementeeditorial.com.br

Produção Editorial: Estúdio Tangerina
Preparação de Originais: Constantino Kouzmin Korovaeff
Revisão: Mirian Cavalcanti e Tania Cavalcanti
Projeto Gráfico, Capa e Diagramação: Lara Kouzmin-Korovaeff
Ilustração da Capa: Shutterstock / man happy with green growing arrow / Fearne
Editora Responsável: Lara Kouzmin-Korovaeff

R672d

Rocha, Joaquim José Fagundes, 1963
    Dicas de gestão & contabilidade : preparando-se para crescer / Joaquim José
Fagundes Rocha. - 1. ed. - Divino de São Lourenço / ES : Semente Editorial, 2014.
    194 p. ; 23 cm

    ISBN 978-85-63546-27-2

    1. Contabilidade. 2. Pequenas e médias empresas - Contabilidade. 3. Pequenas e
médias empresas - Finanças. 4. Empresas novas - Administração. 5. Administração
de empresas. 6. Empreendedorismo. I. Título.

CDD: 657

GESTÃO & CONTABILIDADE
para pequenas empresas

preparando-se para crescer

Joaquim José Fagundes Rocha

semente editorial

Rio de Janeiro / Primavera / 2014
1ª Edição

*A meus queridos esposa e filho, que,
nos momentos de minha ausência dedicados
ao trabalho, estudo, pesquisa e
elaboração desta peça,
sempre me fizeram entender
que o futuro é feito a partir
da constante dedicação no presente!*

*Aos meus amigos, minha segunda família, que
fortaleceram os laços da igualdade e estímulo
num ambiente fraterno e respeitoso!
Jamais os esquecerei!*

*Por final, Àquele que me permitiu tudo isso,
ao longo de toda a minha vida;
a Você, meu DEUS, obrigado;
reconheço cada vez mais em todos os meus
momentos que Você é o maior mestre
que uma pessoa pode conhecer e reconhecer!*

Sucesso e vida, sempre!

*"Perca com classe, vença com ousadia,
porque o mundo pertence a quem se atreve."*

(Charles Chaplin)

*"Meus filhos terão computadores, sim,
mas antes terão livros.
Sem livros, sem leitura, nossos filhos serão
incapazes de escrever,
inclusive, a própria história."*

(Bill Gates)

*"No mundo dos negócios todos são pagos
em duas moedas: dinheiro e experiência.
Agarre a experiência primeiro,
o dinheiro virá depois."*

(Harold Geneen)

SUMÁRIO

PREFÁCIO, 13
Antonio Batista Ribeiro Neto

APRESENTAÇÃO, 19

INTRODUÇÃO, 23

1. A MICRO E A PEQUENA EMPRESA, 29
A Constituição Federal e o estatuto

2. A EMPRESA E O USO DA CONTABILIDADE, 33
Funções e classificações da empresa comercial • Função da
contabilidade na micro e pequena empresa • Você sabe como
a contabilidade pode aujdar na gestão da sua empresa?

3. OS PRINCÍPIOS DA CONTABILIDADE, 45

4. VOCÊ SABE CALCULAR O SEU PATRIMÔNIO? 51
Patrimônio • Bens • Direitos • Obrigações

5. A ESCRITURAÇÃO E OS LIVROS CONTÁBEIS, 57
Você sabe por que escriturar os atos e fatos da sua empresa?
Os pilares e a essência da escrituração • A escrituração simplificada /
Lei 123/06 • Livros fiscais exigidos da ME e EPP • Contabilidade a
serviço da gestão empresarial

6. SUA EMPRESA ESTÁ DANDO LUCRO? 67

7. VOCÊ SABE O VALOR DE SEU CAPITAL DE GIRO? 73

8. CONTROLE OS CUSTOS OPERACIONAIS DE SUA EMPRESA, 77

9. QUAL É O PONTO DE EQUILÍBRIO DE SUA EMPRESA, 85

Ponto de equilíbrio em valores • Ponto de equilíbrio em quantidades
Margem de contribuição • Ponto de equilíbrio contábil • Ponto de equilíbrio
econômico • Benefícios do ponto de equilíbrio • Limitações do ponto
de equilíbrio

10. COMO VAI O CAIXA DE SUA EMPRESA? 95

11. VOCÊ SABE QUAL O FLUXO DE CAIXA DE SUA EMPRESA? VOCÊ SABE FAZER A PREVISÃO DE CAIXA? 99

12. COMO AVALIAR OS RESULTADOS ECONÔMICO-FINANCEIROS DE SUA EMPRESA? 105

Análise Financeira • Dados econômicos e financeiros • Patrimônio
liquído • Indicadores econômico-financeiros • Sintomas econômico
financeiro • Gestão financeira

13. CUSTOS E A FORMAÇÃO DE PREÇOS NA PEQUENA EMPRESA, 119

A lógica dos custos • Como calcular os custos de produção • Formação
de preços • Questões básicas na definição de preços • Sintomas
econômico-financeiros • Determinação do preço de venda
Despesas de comercialização e lucro

14. COMO CALCULAR O CAPITAL NECESSÁRIO PARA INICIAR UM PEQUENO NEGÓCIO? 135

Qual será o valor de imobilizado necessário • Despesas variáveis
Despesas fixas • Qual o volume mínimo de vendas • Dará lucro
operacional • Qual será o investimento com os estoques?
As compras terão prazo alto? Deve-se vender a prazo?
Quanto será necessário de capital?

15. ASPECTOS IMPORTANTES PARA AS COBRANÇAS DE CRÉDITOS
EM ATRASO, 145

16. A IMPORTÂNCIA DO PLANEJAMENTO TRIBUTÁRIO PARA AS PEQUENAS
EMPRESAS, 151

Planejamento tributário • A microempresa, a empresa de pequeno porte
e a reforma tributária • Os limites de tributar • Considerações

17. ALGUMAS RECOMENDAÇÕES PARA O SUCESSO DE SUA EMPRESA, 171

Aspectos importantes para obter o sucesso • Sacrifício • Atendimento
Qualidade do serviço • Capital • Conhecimento • Objetividade • Público
alvo • Sorte • Recomendações para o sucesso de sua empresa

PALAVRAS DO AUTOR, 179

FORTUNA CRÍTICA, 183

GLOSSÁRIO, 185

BIBLIOGRAFIA, 192

PREFÁCIO
Antonio Batista Ribeiro Neto

Ter o próprio negócio. Este é cada vez mais o desejo de muitos brasileiros. Nos últimos anos, no Brasil, houve um grande crescimento no número de pessoas que decidiram ganhar a vida não pelo meio tradicional de um emprego formal, mas pela abertura de sua própria empresa. De acordo com a pesquisa GEM (Global Entrepreneurship Monitor), em 2013, o país registrou uma taxa de 32,3% de empreendedores, ou seja, ao considerar a idade entre 18 a 64 anos, de cada 10 brasileiros, mais de 3 foram identificados com algum tipo de empreendimento. Há dez anos, em 2003, a mesma pesquisa apresentou que esse número era de apenas 20,3%. Mas se, por um lado, os dados da GEM colocam o Brasil bem posicionado no cenário global como um dos países com altas taxas de empreendedores, por outro, ainda é muito alto o percentual de empreendimentos que não ultrapassam o terceiro ano em atividade. De acordo com o Sebrae (2013), em média, 24,4% dos estabelecimentos que abriram em 2007 fecharam as portas antes de completar o terceiro ano. Ou seja, ter uma nação com empreendedores é muito positivo para o país, pois são estes agentes que produzem bens e/ou serviços e que geram externalidades positivas para toda a economia por meio de agregação de valor, impostos, empregos, entre outros.

Da mesma forma, o fechamento de uma empresa pode gerar consequências negativas não apenas para o dono do negócio, que pode perder dinheiro e acumular dívidas, mas também para toda a economia local, em função de que, fechada uma empresa, cessa uma série de fluxos econômico-financeiros, tais como salários de funcionários, compras de fornecedores, vendas para clientes, pagamentos de serviços, taxas e impostos para os órgãos governamentais, entre outros.

Portanto, tão importante quanto os incentivos, públicos e privados, para se estimular a atividade empreendedora no Brasil, são, também, importantes novas e tradicionais formas de se difundirem informações e conhecimentos que orientem os empreendedores nas diferentes fases do processo de condução de uma empresa desde a abertura e, principalmente, na gestão do negócio ao longo do tempo.

O livro de Joaquim Fagundes é uma obra que contribui para essa difusão. Ao apresentar o detalhamento sobre questões contábeis-financeiras, o autor proporciona aos empreendedores que já têm ou que pretendem ter um negócio próprio, um entendimento mais didático e simplificado de uma área que é crítica para a sustentabilidade de qualquer empreendimento: a área que contabiliza os resultados contábeis e financeiros de uma empresa. Nesse ponto, identifica-se o primeiro destaque do livro, o qual se refere ao foco dos usuários (leitores), com uma linguagem técnica, mas simples, o livro é uma boa referência não apenas para estudantes e/ou técnicos de contabilidade que precisam consultar uma informação sobre a área, mas, percebe-se que sua redação foi cuidadosamente trabalhada para que o conteúdo alcance, também, pessoas leigas sobre o assunto. Principalmente, as que optaram pela estrada do empreendedorismo como forma de obterem renda.

O tema trabalhado no livro de Joaquim Fagundes é importante porque há necessidade de disseminar mais e entre os empreendedores a relevância das informações contábeis-financeiras para se ter o controle da empresa e para se ter um negócio saudável. Em geral, quando uma pessoa decide por abrir uma empresa, a decisão é na maioria das vezes baseada no seu conhecimento técnico/profissional sobre determinado assunto. Ou seja, muitas pessoas se lançam em um negócio tendo foco quase exclusivo em produzir e/ou vender algo ou alguma coisa. Isso se justifica em função da experiência acumulada dentro de uma atividade profissional ou no desenvolvimento de alguma competência específica ao longo do tempo. Por isso, é comum se ouvir frases do tipo "tenho mais de 20 anos na profissão de torneiro mecânico, penso que já tenho condições de montar minha própria oficina, pois sei fazer e não terei dificuldade em encontrar clientes". Portanto, a grande maioria de quem tem uma empresa ou que pretende iniciar um negócio, atua com negligência ou imperícia na parte contábil-financeira. Essa é uma das causas para o alto índice de fechamento de empresas com poucos anos no mercado.

Diante deste cenário identifica-se mais um destaque do livro, o qual se relaciona ao conteúdo que contempla um amplo conjunto de ferramentas, técnicas e métodos para se entender a gestão contábil e financeira de uma empresa. Todo o conjunto é apresentado com um atualizado "glossário", os "processos aritméticos" associados e exemplos.

Ao longo de vários capítulos, o leitor vai se dando conta de que empreender é muito mais que produzir e comercializar. Empreender também é saber fazer contas ou saber fazer leituras de contas (estas podem ser feitas por terceiros, como por exemplo um contador).

Na primeira seção, o autor descreve as diferentes tipologias de empresas, orientação de grande importância no momento da abertura de uma empresa. A legislação brasileira possibilita diferentes tipologias, cada uma com benefícios e responsabilidades específicas. Em seguida, o autor apresenta os componentes de um "balanço patrimonial", o livro esclarece os significados de bens, direitos e obrigações.

Apesar de ser o objetivo principal de qualquer negócio privado, o leitor vai identificar no livro que "lucro" é muito mais do que uma diferença entre preço de venda e custos. Pois, além de um detalhamento dos componentes geradores do lucro, há uma clara interpretação de fatores associados na composição de "custos" e na "formação de preços" de um produto ou serviço. O livro também apresenta a importância e como são definidos os seguintes elementos financeiros: Capital de Giro, Ponto de Equilíbrio e Fluxo de Caixa. Na parte final, o autor aborda dois temas de grande relevância para quem tem um negócio: capital e tributação. Esses itens são críticos em função do impacto que causam em uma empresa. O capital é o combustível para o funcionamento de qualquer negócio. Mas, no Brasil o custo do capital é muito elevado (um dos maiores do mundo) e, por isso, exige bom planejamento do empreendedor para definir o montante e o melhor momento para se fazer empréstimos no mercado. Os altos custos do capital podem inviabilizar o negócio ou podem impactar de forma negativa em seus resultados financeiros. O livro apresenta algumas orientações para apoio nessa decisão. Em relação ao segundo tema, tributação, também é muito apropriada sua abordagem no livro porque no Brasil há muitos e caros tributos, que, em geral, asfixiam as empresas, pois ao corroerem as margens e os capitais de giro e de investimentos, podem comprometer os resultados da empresa.

Por último, destaca-se na obra de Joaquim Fernandes a forma pela qual o autor disserta o conteúdo do livro. Em vários momentos, é como se ele estivesse a uma mesa conversando com um empreendedor a respeito de quais conhecimentos contábeis e financeiros são necessários para que o empresário (ou gestor) tenha controle sobre uma empresa, e com base nos seus indicadores e resultados saiba interpretar a real situação do negócio.

Por todo esse conhecimento reunido, referencio esta obra como de grande importância para os empreendedores do Brasil. Nosso país, ainda, tem muitos e grandes desafios a vencer (desigualdades sociais, crescimento econômico sustentável, qualidade de vida, entre outros), e o empreendedorismo é um caminho para contribuir na superação desses desafios. Entretanto, nossos empreendedores precisam ter acesso à informação e conhecimentos simples e práticos para lhes ajudar no dia a dia da labuta empresarial. O livro *Dicas de Gestão & Contabilidade* é uma boa referência para ajudar os empresários a conhecer, entender e aplicar as técnicas e ferramentas que compõe a função contábil e financeira de uma empresa.

Antonio Batista Ribeiro Neto
Doutor em Engenharia de Produção
Professor Universitário
Analista do Sebrae, trabalha como Coordenador de Projetos

APRESENTAÇÃO|

Hoje várias empresas estão deixando de apresentar bons resultados por falta de uma estrutura organizacional. Pensamos, muitas vezes, que nossa organização é muito pequena para requerer um enquadramento de tal tipo. Estamos enganados, porém. A estrutura nasce junto com a empresa, e, sendo ela linear ou funcional, é preciso que se esteja atento às funções empresariais básicas e que se tenha uma visão abrangente da organização. Segundo Fayol (2000, p.83), as empresas têm seis funções básicas:

1. **Funções técnicas**, relacionadas com a produção de bens ou de serviços da empresa.
2. **Funções comerciais,** relacionadas com compra, venda e permutação.
3. **Funções financeiras**, relacionadas com procura e gerência de capitais.
4. **Funções de segurança,** relacionadas com proteção e preservação dos bens e das pessoas.
5. **Funções contábeis**, relacionadas com inventários, registros, balanços, custos e estatísticas.
6. **Funções administrativas**, relacionadas com a integração de cúpula das outras cinco funções.

Analisando as funções técnicas relacionadas com a prestação de serviços, observamos que algumas empresas têm se preocupado com o aperfeiçoamento dos serviços oferecidos, visando torná-los de qualidade, adotando medidas como aperfeiçoamento constante, erro zero, ênfase em treinamento e capacitação dos funcionários. Outras, porém, não possuem a mesma preocupação, estão na zona de conforto, apesar do grande número de concorrentes no mercado e da competição acirrada. Na produção de bens, não é diferente, acreditam que jamais perderão a liderança, pensamento esse bastante ultrapassado, pois sabemos que no Brasil a todo momento centenas de empresas fecham por terem se acomodado e serem mal administradas.

Ao promover mudanças internas para se adaptar à nova realidade, as empresas, independentemente do tamanho ou área de atuação, alteram suas estruturas organizacionais, normas, procedimentos, maneiras de agir e sistemas de informação. É aí que surge a Contabilidade e o Gestor, gerando as informações sobre a situação econômico-financeira da empresa, que, juntamente com os controles gerenciais, permitem ao empresário e empreendedores melhor administrar os recursos e gastos gerados.

Ao iniciar este livro de dicas de contabilidade e gestão da micro e pequena empresa no Brasil, tenho como missão primeira esclarecer os empreendedores brasileiros de pequenos negócios de que a contabilidade e o gerenciamento de qualquer empreendimento possuem um espectro de ação significativo em seu contexto enquanto ferramenta de planejamento, controle e tomada de decisão, promovendo, assim, o bom controle e gestão, a geração de trabalho e renda como molas propulsoras da economia do país.

A contabilidade e o controle das finanças são ferramentas indispensáveis para a gestão de negócios e a boa tomada de decisões. De longa data, contadores, administradores, empreendedores e responsáveis pela gestão de empresas convenceram-se de que a amplitude das informações contábeis vai além do simples cálculo de impostos e atendimento de legislações comerciais, previdenciárias e fiscais.

Além do mais, o custo de manter uma contabilidade completa (livros Diário, Razão, Inventário, Conciliações etc.) não é justificável para atender somente o fisco. Informações relevantes podem estar sendo desperdiçadas, quando a contabilidade é encarada como um mero cumprimento da burocracia governamental.

Os gestores de empresas precisam aproveitar as informações geradas na própria empresa, as dicas em cada ato e fato da administração, pois, obviamente, um fator de competitividade com seus concorrentes será a tomada de decisões com base em fatos reais e dentro de uma técnica comprovadamente eficaz: o uso da contabilidade de gestão.

A estabilidade econômica, a abertura de mercados, as reorganizações empresariais, o aumento da concorrência e a globalização levam as empresas a buscar formas de se adequarem à nova realidade. Essa adaptação pode ocorrer de várias maneiras: esforços para aumentar a competitividade, a produtividade e a eficiência; entrada em novos mercados; utilização de inovadoras formas de negociação; aquisição ou desenvolvimento de novas tecnologias, dentre outras.

INTRODUÇÃO|

Pagamento de aluguel, conta de água, energia, telefone, pagamento de impostos, pagamento de fornecedores e pagamento de salários. Você tem o controle dos números e o planejamento do seu negócio? Analisa suas finanças para tomar decisões acertadas para a sua empresa?

A partir de agora, você compreenderá a importância e as vantagens de utilizar a contabilidade como um instrumento para que as tomadas de decisões em sua empresa sejam sempre assertivas!

Então, aproveite a leitura e faça uma autoavaliação.

Você já deve ter se perguntado:

→ Eu, como empresário, posso utilizar a contabilidade para melhorar a gestão da minha empresa?

→ Como a contabilidade pode ajudar a minha empresa, mesmo eu não sendo contador?

→ E como eu, em uma pequena empresa, posso aplicar as informações da contabilidade para tomar decisões?

Que tal fazer um teste para avaliar se a Gestão Contábil está presente em seu empreendimento? A contabilidade está sempre presente em seu negócio? Você conhece os números do seu negócio? Como a utiliza em sua tomada de decisões?

A seguir, analise as situações propostas e escolha as respostas que mais se adequam à:

Considere que um cliente quer fazer-lhe uma compra de valor considerável, e você apresenta sua proposta de valor dos produtos solicitados. O cliente, então, faz uma contraproposta com redução de valor, incluindo uma dilatação de prazo, de mais 14 dias. Diante dessa situação, você:

A) Desconsidera a contraproposta e simplesmente não abre mão do seu valor, pois considera que quem põe preço na sua empresa é você, e pronto.

B) Como mantém registros financeiros e controla os custos da sua empresa, toma a decisão mais correta, considerando a sua proposta e a do cliente, pois também acredita ser interessante mais essa fatia de mercado.

C) Aceita a proposta do cliente, pois o que importa é vender sempre mais, e, se não for você, a concorrência o fará.

Considere que um investidor lhe fez uma proposta de investir em sua empresa, mas, para isso, ele queria saber quanto ele precisa hoje, e, em quanto tempo teria um retorno.

Diante dessa situação, você, hoje...

A) Estima um valor com base em sua experiência de muitos anos nesse mercado, pois não possui essas informações e não poderá perder a oportunidade desse investimento.

B) É capaz de realizar uma apresentação das informações contábeis da empresa, pois sabe o valor exato de que precisa e o tempo em que o investidor terá o retorno do investimento; assim sendo, aproveita e coloca a empresa à disposição para uma visita.

c) Procura analisar e compreender os dados enviados pelo contador, pois sabe que neles estão as informações que você precisa para responder ao questionamento do investidor.

SITUAÇÃO 3

Considere que você precisa de um empréstimo para ampliar sua empresa. Indo ao banco, o gerente lhe pergunta se a sua empresa apresenta situação financeira para saldar os compromissos. Então, você...

A) Fica tranquilo, pois sabe qual é exatamente a situação financeira da empresa, tendo todos os documentos organizados. E lembra-se de convidá-lo a visitar a empresa, o que ajudaria ainda mais na confirmação das informações.

B) Insiste em fazer o empréstimo e pede ao gerente que fique tranquilo: afinal, você não teve problemas nos últimos meses.

c) Solicita ao gerente um prazo para organizar as informações, pois não é fácil compreender a contabilidade, e você precisa de tempo para revê-la.

Situação 4

Considere que você e o seu sócio estão numa reunião para discutir novos investimentos. No decorrer dessa reunião, seu sócio pergunta-lhe qual o produto mais rentável da empresa e quanto custa para produzi-lo. Diante dessa situação, você...

a) Responde de pronto, pois sabe exatamente qual é o mix de produtos da empresa que mais vende e qual seu custo unitário.

b) Conversa com o seu sócio e continua a reunião, deixando para responder posteriormente, pois terá que perguntar ao contador da empresa e fazer algumas contas.

c) Explica que tais informações não são base para tomar o tipo de decisão que pretendem, pois o mais importante é que, para crescer, a empresa precisa de investimentos para substituir algumas máquinas e equipamentos.

Ficou interessado em saber como você, sendo empresário e não contador, pode utilizar a contabilidade para melhorar o seu negócio?

Então, siga em frente, pois essas e outras questões você acompanhará através de exemplos que demonstrarão a aplicação da contabilidade em empresas de pequeno porte.

GESTÃO & CONTABILIDADE

A MICRO E A PEQUENA EMPRESA 1

*Constituir uma empresa é dar
corpo e alma para um sonho!*

Valeska Schwanke Fontana

Os critérios que classificam o tamanho de uma empresa constituem um importante fator de apoio às micro e pequenas empresas, permitindo que estabelecimentos dentro dos limites instituídos possam usufruir os benefícios e incentivos previstos nas legislações.

No Brasil, as microempresas (MEs) e as empresas de pequeno porte (EPPs) podem optar pelo Sistema Integrado de Pagamento de Impostos e Contribuições das Microempresas e das Empresas de Pequeno Porte, conhecido como Simples Nacional, instituído em 1997 pela Lei Nº 9.317, de 1996. Na atualidade, a matéria é regulada pela Lei Complementar 123, de 14 de dezembro de 2006.

Atualmente, esses critérios são adotados em vários programas de crédito do governo federal em apoio às MPEs (micro e pequenas empresas).

- **MICROEMPRESA (ME)**: pessoa jurídica que aufere, em cada ano-calendário, receita bruta igual ou inferior a R$360 mil.

- **Empresa de Pequeno Porte (EPP)**: pessoa jurídica que aufere, em cada ano-calendário, receita bruta superior a R$360 mil e igual ou inferior a R$3,6 milhões.

- **Microempreendedor Individual (MEI)**: sobe de R$36 mil para R$60 mil.

No caso de início de atividade no decorrer do ano-calendário, os limites acima serão proporcionais ao número de meses em que a empresa houver exercido atividade, inclusive as frações de meses.

Início de atividade é o momento da primeira operação – após a constituição e a integralização do capital – que traga mutação no patrimônio da pessoa jurídica.

Receita bruta é o produto da venda de bens e serviços nas operações de conta própria, o preço dos serviços prestados e o resultado nas operações em conta alheia, não incluídas as vendas canceladas e os descontos incondicionais concedidos.

Cada estado brasileiro possui uma variedade de conceitos e critérios para classificar as micro e pequenas empresas, de acordo com a sua situação econômica e fiscal própria.

Os municípios carecem de leis nesse sentido, sendo muito poucos aqueles que contemplam o segmento da MPE com legislações próprias de fomento.

Além do critério adotado no Estatuto da Micro e Pequena Empresa, o Sebrae utiliza ainda o conceito de número de funcionários nas empresas, principalmente nos estudos e levantamentos sobre a presença da micro e pequena empresa na economia brasileira, conforme os seguintes números:

- **MICROEMPRESA:**

→ Na indústria e construção: até 19 funcionários.
→ No comércio e serviços: até 09 funcionários.

- **PEQUENA EMPRESA:**

→ Na indústria e construção: de 20 a 99 funcionários.
→ No comércio e serviços: de 10 a 49 funcionários.

Nos levantamentos que têm como fonte de dados o IBGE, as estatísticas sobre micro e pequenas empresas divulgadas pelo Sebrae utilizam o critério acima. Nos levantamentos dos censos e pesquisas socioeconômicas anuais e mensais, o IBGE classifica as firmas segundo as faixas de pessoal ocupado total.

O conceito de "pessoas ocupadas" em uma empresa abrange não somente os empregados, mas também os proprietários. Essa é uma forma de se dispor de informações sobre o expressivo número de micro unidades empresariais que não empregam trabalhadores, mas funcionam como importante fator de geração de renda para seus proprietários.

A CONSTITUIÇÃO FEDERAL E O ESTATUTO

Os artigos 146, 170, 179 da Constituição Federal de 1988 contêm os marcos legais que fundamentam as medidas e ações de apoio às micro e pequenas empresas no Brasil.

- **Artigo 170:** insere as MPEs nos princípios gerais da ordem econômica, garantindo tratamento favorecido a essas empresas.

- **Artigo 179:** orienta às administrações públicas dispensar tratamento jurídico diferenciado ao segmento, visando a incentivá-las pela simplificação ou redução das obrigações administrativas, tributárias, previdenciárias e de crédito por meio de leis.

- **Artigo 146:** contém dois novos dispositivos, aprovados pela Reforma Tributária de 2003, prevendo que uma lei de hierarquia superior, a lei complementar, definirá tratamento diferenciado e favorecido para as MPEs, incluindo um regime único de arrecadação dos impostos e contribuições da União, dos estados e dos municípios, além de um cadastro unificado de identificação.

Os artigos acima constituem as principais referências para a adoção de medidas de apoio às MPEs, por meio de legislação infraconstitucional, como leis, decretos e outros instrumentos legais.

A EMPRESA E O USO DA CONTABILIDADE 2

*"Saber medir e gerir as informações
é tão importante quanto gerar receitas."*

Joaquim Fagundes

Diante do cenário empresarial competitivo em que se encontram as organizações, torna-se cada vez mais importante adotar técnicas de gestão especializadas. Em decorrência de todo o processo de desenvolvimento da contabilidade, o presente livro tem como objetivo evidenciar como a contabilidade vem preenchendo lacunas, ao produzir informações úteis e relevantes aos gestores das pequenas empresas, bem como igualmente evidenciar todos os colaboradores que, de uma forma e outra, trabalham no meio organizacional.

A contabilidade é uma ciência que permite, através de suas técnicas, manter um controle permanente do patrimônio da empresa. A contabilidade, desde seu aparecimento como conjunto ordenado de conhecimentos, com o objetivo e finalidades definidas, tem sido considerada como arte, como técnica ou como ciência, de acordo com a orientação seguida pelos doutrinadores, ao enquadrá-la no elenco das espécies do saber humano. Nós vamos considerá-la como um conjunto de conhecimentos sistematizados, com princípios e normas próprias. Na acepção ampla do conceito de ciência, ela é uma das ciências econômicas e administrativas.

No atual contexto empresarial, a informação é um recurso imprescindível para as empresas, podendo verdadeiramente representar uma vantagem competitiva para determinadas organizações, independentemente do tamanho. O bom uso de dados e informações norteia o dia a dia de diversas empresas, principalmente as de pequeno porte.

Uma preocupação dos empresários de pequeno porte é o processo de geração de informações internas e externas de suas organizações, que possa auxiliar no propósito de facilitar a tomada de decisões rápidas e seguras, objetivando verticalizar os negócios de suas empresas.

Percebemos que a empresa moderna deve possuir sofisticados sistemas de informação e sensores altamente apurados para identificar e perseguir novas oportunidades, mapear e contornar ameaças e conseguir comparar, a todo momento, sua posição relativa em face dos concorrentes, clientes e fornecedores.

"O empresário não pode ficar estático, alheio às mudanças. Ele deve se reciclar, se atualizar, conhecer as técnicas modernas, para se adaptar ao impacto causado pelo crescente desenvolvimento tecnológico."

(Linero Sobrinho, Cristovam – 1994)

Para Marion (1988), a contabilidade representa um instrumento que auxilia a administração a tomar decisões. Na verdade, ela coleta todos os dados econômicos, mensurando-os monetariamente, registrando-os e sumarizando-os em forma de relatórios ou comunicados, que contribuem sobremaneira para tomada de decisões.

Num sistema contábil, os eventos econômicos são as fontes básicas da informação contábil; o contador atua como transmissor, observando esses eventos e codificando-os para transmitir a informação por meio dos relatórios contábeis.

As empresas de pequeno porte geralmente se utilizam de serviços de escritório de contabilidade para seus registros econômicos e financeiros, para situar-se perante órgãos de fiscalização.

Os donos de pequenas empresas, pouco conhecendo de contabilidade e finanças, não conseguem decifrar as informações contidas nos documentos apresentados pelo contador, correndo sérios riscos de sofrer autuações fiscais em função de erros cometidos.

O conhecimento dos princípios básicos de contabilidade e finanças, entretanto, evita riscos, dando ao empresário condições de:

→ Detectar e analisar problemas econômicos e financeiros;
→ Buscar, a tempo, soluções e alternativas para os problemas.

A quantidade de dados e informações a que as organizações estão expostas diariamente demanda um gerenciamento eficaz (BEUREN, 2000), sendo esse aspecto parte integrante do processo decisório dos dirigentes e gestores dentro das organizações. Se administrar é decidir, a continuidade de qualquer negócio depende das decisões tomadas pelos gestores dos vários níveis organizacionais dentro das atividades de planejamento e controle (BIO, 1985; ASSAF NETO, 1997).

Há nas empresas uma multiplicidade de fontes e de usos da informação (DAVENPORT, 2000). Entre as várias fontes existentes nas empresas, destaca-se a contabilidade, que – como ciência responsável por todo o processo de mensuração, registro e comunicação dos fatos que envolvem a atividade empresarial (CARVALHO e NAKAGAWA, 2004) – tem como principal função suprir de informação relevante os gestores, a fim de capacitá-los a alcançar os objetivos da organização com o uso eficiente de seus recursos (BEUREN, 2000). A contabilidade possibilita à empresa coletar, processar e relatar informação para uma variedade de decisões operacionais e administrativas.

FUNÇÕES E CLASSIFICAÇÃO DA EMPRESA COMERCIAL

A finalidade da contabilidade é registrar, controlar e demonstrar os fatos ocorridos no patrimônio, objetivando fornecer informações sobre sua composição e variações, bem como sobre o resultado econômico decorrente da gestão da riqueza patrimonial.

Essas informações são indispensáveis à orientação administrativa, permitindo maior eficiência na gestão econômica da entidade e no controle dos bens patrimoniais. A contabilidade desempenha, em qualquer organismo econômico, o mesmo papel que a História na vida da humanidade. Sem ela não seria possível conhecer o passado nem o presente da vida econômica da entidade, não sendo também possível fazer previsões para o futuro nem elaborar planos para orientação administrativa.

A empresa é um conjunto orgânico de bens, direitos, obrigações e pessoas, com fins lucrativos. A característica essencial do comércio é a compra de utilidade e a sua venda no mesmo estado em que são adquiridas, sem nenhuma transformação ou beneficiamento. As empresas comerciais e industriais são juridicamente divididas em:

- **EMPRESA INDIVIDUAL;**

- **EMPRESA INDIVIDUAL DE RESPONSABILIDADE LIMITADA / EIRELI;**

- **SOCIEDADE POR COTAS DE RESPONSABILIDADE LIMITADA / LTDA;**

- **SOCIEDADE SIMPLES – S/S;**

- **SOCIEDADE ANÔNIMA – S/A.**

EMPRESÁRIO INDIVIDUAL

- Uma única pessoa física constitui a empresa, cujo nome empresarial deve ser composto pelo nome civil do proprietário, completo ou abreviado, podendo aditar ao nome civil uma atividade do seu negócio ou um apelido.

- Atua sem separação jurídica entre seus bens pessoais e seus negócios, ou seja, o proprietário responde de forma ilimitada pelas dívidas contraídas no exercício da sua atividade perante os seus credores, com todos os bens pessoais que integram o seu patrimônio e os do seu cônjuge (se for casado num regime de comunhão de bens).

- O inverso também acontece: o patrimônio integralizado para explorar a atividade comercial também responde pelas dívidas pessoais do empresário e do cônjuge. A responsabilidade é, portanto, ilimitada nos dois sentidos.

EMPRESA INDIVIDUAL

- A empresa individual de responsabilidade limitada será constituída por uma única pessoa titular da totalidade do capital social, devidamente integralizado, que não será inferior a 100 (cem) vezes o maior salário mínimo vigente no país.
- O titular pessoa física não poderá ter mais do que uma EIRELI, restrição essa que não se aplica ao titular pessoa jurídica.
- Enquanto para o titular pessoa física é facultativo ter ou não um administrador, para o titular pessoa jurídica será obrigatório.

(OBS) Todavia, dentro do contexto atual, por determinação do Departamento Nacional de Registro do Comércio – DNRC, somente as pessoas naturais podem ser titulares de uma EIRELI (item 1.2.11 da IN 117/2011, disponível em: http://www.dnrc.gov. br/Legislacao/dnrl200v.htm.), sendo que as pessoas jurídicas interessadas em constituir uma empresa terão que fazer valer os seus direitos recorrendo ao Poder Judiciário, elidindo as ilegalidades trazidas pela instrução normativa 117/2011.

SOCIEDADE POR COTAS DE RESPONSABILIDADE LIMITADA

- Formada por dois ou mais sócios para explorar atividades econômicas organizadas para a produção ou circulação de bens ou de serviços, constituindo elemento de empresa.
- Os sócios respondem de forma limitada ao capital social da empresa, no caso de dívidas contraídas no exercício da sua atividade perante os seus credores.

EMPREENDEDOR INDIVIDUAL - EI

- Tipo de empresa individual criada pela Lei Complementar 128/2008, que criou o microempreendedor individual, visando trazer para a legalidade milhares de brasileiros que trabalhavam por conta própria, sem contribuir para nenhuma das esferas de governo.

- A opção pelo EI limita a um faturamento anual não superior a R$60 mil e a não ter participação em outra empresa como sócio ou titular.

- Consultar lista com as atividades que podem ser exercidas, que pode ser encontrada em http://www.portaldoempreendedor.gov.br/

FUNÇÃO DA CONTABILIDADE NAS MICRO E PEQUENAS EMPRESAS

Registro, Controle, Escrituração, Contas, Decisão, Gestão, Lucro, Planejamento, Organização.

VOCE SABE O QUE É CONTABILIDADE?

A contabilidade é a ciência que estuda, pratica, controla e interpreta os fatos ocorridos no patrimônio das entidades, mediante o registro, a demonstração expositiva e a revelação desses fatos, com o fim de oferecer informações sobre a composição do patrimônio, suas variações e o resultado econômico decorrente da gestão da riqueza econômica.

VOCÊ SABE COMO A CONTABILIDADE PODE AJUDAR NA GESTÃO DA SUA EMPRESA?

As principais funções da contabilidade são: registrar, organizar, demonstrar, analisar e acompanhar as modificações do patrimônio em virtude da atividade econômica ou social que a empresa exerce no contexto econômico.

- **REGISTRAR:** todos os fatos que ocorrem e podem ser representados em valor monetário. Isso não é fácil, porém, é essencial para o controle e planejamento do negócio.

- **ORGANIZAR:** um sistema de controle adequado à empresa.

- **DEMONSTRAR:** com base nos registros realizados, expor periodicamente por meio de demonstrativos a situação econômica, patrimonial e financeira da empresa. A contabilidade feita corretamente dá credibilidade ao seu negócio porque demonstra aos seus parceiros e fornecedores que a sua empresa tem total condição de saldar os compromissos assumidos.

- **CONHECER:** ao anotar todas as contas, você conhece melhor seu empreendimento e sabe bem o que a empresa paga, recebe, deve, empresta e o que possui... Isso é fazer contabilidade! Simples, não é?

- **SOBREVIVER:** cuide da sobrevivência da sua empresa! Não deixe o barco afundar. A contabilidade representa as memórias e a identidade do seu negócio, através dos registros. Planeje a evolução do seu sonho com a ajuda da contabilidade.

- **SEGURANÇA:** com essa credibilidade somada às vantagens que a contabilidade proporciona ao seu negócio, fica fácil tomar decisões. E você espanta de uma vez os riscos que podem prejudicar a sobrevivência do seu negócio. Chega de riscos, trabalhe de forma segura!

■ **TOMAR DECISÃO**: o maior dos benefícios da contabilidade é a segurança para a tomada de decisões. É aquela sensação de poder investir, fazer um empréstimo, um financiamento, uma nova contratação, o que for... e poder ter uma noite tranquila de sono. Empresário, isso não tem preço!

■ **ANALISAR**: os demonstrativos podem ser analisados com a finalidade de apuração dos resultados obtidos pela empresa.

■ **ACOMPANHAR**: a execução dos planos econômicos da empresa, prevendo os pagamentos, recebimentos, os investimentos e demais ações da empresa.

A contabilidade faz o registro metódico e ordenado dos negócios realizados e a verificação sistemática dos resultados obtidos. Ela deve identificar, classificar e anotar as operações da entidade e de todos os fatos que de alguma forma afetam sua situação econômica, financeira e patrimonial. Com esta acumulação de dados convenientemente classificados, a contabilidade procura apresentar de forma ordenada o histórico das atividades da empresa, a interpretação dos resultados e, através de relatórios, produzir as informações que se fizerem exigíveis para o atendimento das diferentes necessidades.

As finalidades fundamentais da contabilidade referem-se à orientação da administração das empresas no exercício de suas funções. A contabilidade, portanto, é o controle e facilita o planejamento de toda e qualquer entidade socioeconômica.

- **Controle:** a administração, através das informações contábeis via relatórios, pode certificar-se, na medida do possível, de que a organização está agindo em conformidade com os planos e políticas determinados.

- **Planejamento:** a informação contábil, principalmente no que se refere ao estabelecimento de padrões, ao inter-relacionamento da contabilidade e aos planos orçamentários, é de grande utilidade no planejamento empresarial, ou seja, no processo de decisão sobre que curso de ação deverá ser tomado para o futuro.

Além de controle técnico-gerencial, a escrituração contábil será muito útil quando houver necessidade de:

→ Comprovar, em juízo, fatos cujas provas dependem de perícia contábil;

→ Contestar reclamações trabalhistas, quando as provas a serem apresentadas dependem de perícia contábil;

→ Requerer concordata por insolvência financeira;

→ Evitar que sejam consideradas fraudulentas as próprias falências, sujeitando os sócios ou o titular às penalidades previstas na lei de falências;

→ Provar a sócios que se retiram da sociedade a verdadeira situação patrimonial da empresa para fins de reconstituição de capital ou venda de participação societária;

→ Comprovar a legitimidade dos créditos em caso de impugnação de habilitações feitas em concordatas ou falências.

O Art. 1.179 do CC/02 dispensa o pequeno empresário de manter contabilidade regular.

Entende-se como "pequeno empresário" o empresário (antiga Firma Individual) enquadrado como microempresa ou empresa de pequeno porte, que, neste caso, poderá adotar contabilidade simplificada, desde que mantenha escrituração organizada e lançamentos no Livro Caixa e no Livro Registro de Inventário (§ 1º do Art. 7º da Lei Nº 9.317/1996, § 2º do Art. 1.179 do Código Civil/2002).

A Escrituração Simplificada não atende os requisitos da legislação comercial e é facultada a determinados contribuintes pela legislação fiscal.

Alertamos que a Escrituração Contábil de uma empresa é, em primeiro lugar, uma exigência da legislação comercial, tendo em vista os interesses societários e creditícios envolvidos na atividade empresarial.

Assim sendo, todas as empresas são obrigadas à manutenção da Escrituração Contábil, ainda que a legislação do Imposto de Renda permita que determinadas empresas, como é o caso das empresas optantes pelo Simples Nacional e pela tributação com base no Lucro Presumido, escriturem apenas o Livro Caixa.

A escrituração tão-somente do Livro Caixa, para as empresas optantes pelo Simples Nacional ou tributadas com base no lucro presumido, portanto, trata-se de regra permissiva da legislação fiscal. Perante a legislação societária, falimentar, de licitação etc., tais empresas são obrigadas à apresentação da escrituração do Livro Diário e das demonstrações contábeis.

Ótimo! Você já sabe que a contabilidade é importante e pode contribuir muito na gestão da sua empresa, mas, no seu dia a dia, diante de tantos números, tantos cálculos e valores e tantas dúvidas e incertezas, o que você vai fazer para ter controle e planejamento do seu negócio?

O segredo está na organização, controle e registros dos dados financeiros da sua empresa. O que está anotado ninguém esquece!

Todas as vezes que for preciso entender a situação do seu negócio, recorra aos seus registros. São eles que vão ajudá-lo a conhecer melhor o seu patrimônio e tornar brilhante sua habilidade de contabilizar!

PARA VOCÊ REFLETIR

Você já consegue perceber como a contabilidade pode ser útil?

Você, empresário, já é capaz de identificar as vantagens em registrar, organizar e compreender as informações contábeis da sua empresa?

OS PRINCÍPIOS DA CONTABILIDADE 3

"Um grande empreendedor possui três pilares como sustentáculos de seus empreendimentos: Conhecimento, Resultado e Lucro."

Pedrosa, Duilho Laviola

Você já ouviu falar sobre os princípios da contabilidade? Sabe para que servem?

Os princípios da contabilidade servem para nortear os registros contábeis para que esses possam ser analisados tanto pelos proprietários quanto por outras pessoas ou organizações ligadas à empresa. Tais registros possuem as funções de controle e planejamento dentro das empresas.

O registro do comprar/pagar e do vender/receber são a base da contabilidade e, consequentemente, do controle e planejamento da empresa.

O registro e a análise dessas atividades precisam se basear em alguns princípios.

Esses princípios são regras adotadas para que todos os registros, de qualquer empresa, sejam efetuados de forma semelhante. Eles contêm orientações que precisam ser seguidas para garantir a organização na contabilidade da empresa!

É importante que você os conheça para se orientar ou orientar a quem fará os registros contábeis do seu negócio!

PRINCÍPIOS DA CONTABILIDADE

→ **O Princípio da Entidade** reconhece o Patrimônio como objeto da contabilidade e afirma a autonomia patrimonial, a necessidade da diferenciação de um patrimônio particular no universo dos patrimônios existentes, independentemente de pertencer a uma pessoa, um conjunto de pessoas, uma sociedade ou instituição de qualquer natureza ou finalidade, com ou sem fins lucrativos.

Por consequência, nesta acepção, o Patrimônio não se confunde com aqueles dos seus sócios ou proprietários, no caso de sociedade ou instituição.

DICA Você sabia que misturar o capital da empresa com as despesas pessoais é uma das causas de mortalidade das pequenas empresas?

Lembre-se sempre: determinar uma retirada mensal, um pró-labore, é fundamental para a sobrevivência da empresa, pois assim você, empresário, terá o controle do valor que poderá retirar para aplicar às suas despesas pessoais.

→ **O Princípio da Continuidade** pressupõe que a Entidade continuará em operação no futuro e, portanto, a mensuração e a apresentação dos componentes do patrimônio levam em conta esta circunstância.

→ **O Princípio da Oportunidade** refere-se ao processo de mensuração e apresentação dos componentes patrimoniais para produzir informações íntegras e tempestivas.

→ **O Princípio do Registro pelo Valor Original** determina que os componentes do patrimônio devem ser inicialmente registrados pelos valores originais das transações, expressos em moeda nacional. Uma vez integrados ao patrimônio, os componentes patrimoniais, ativos e passivos podem sofrer variações decorrentes dos seguintes fatores:

A) CUSTO CORRENTE: os ativos são reconhecidos pelos valores em caixa ou equivalentes de caixa, os quais teriam de ser pagos se esses ativos ou ativos equivalentes fossem adquiridos na data ou no período das demonstrações contábeis. Os passivos são reconhecidos pelos valores em caixa ou equivalentes de caixa, não descontados, que seriam necessários para liquidar a obrigação na data ou no período das demonstrações contábeis;

B) VALOR REALIZÁVEL: os ativos são mantidos pelos valores em caixa ou equivalentes de caixa, os quais poderiam ser obtidos pela venda em uma forma ordenada. Os passivos são mantidos pelos valores em caixa e equivalentes de caixa, não descontados, que se espera seriam pagos para liquidar as correspondentes obrigações no curso normal das operações da Entidade;

C) VALOR PRESENTE: os ativos são mantidos pelo valor presente, descontado do fluxo futuro de entrada líquida de caixa que se espera seja gerado pelo item no curso normal das operações da Entidade. Os passivos são mantidos pelo valor presente, descontado do fluxo futuro de saída líquida de caixa que se espera seja necessário para liquidar o passivo no curso normal das operações da Entidade;

D) Valor justo: É o valor pelo qual um ativo pode ser trocado, ou um passivo liquidado, entre partes conhecedoras, dispostas a isso, em uma transação sem favorecimentos; e

E) Atualização monetária: Os efeitos da alteração do poder aquisitivo da moeda nacional devem ser reconhecidos nos registros contábeis, mediante o ajustamento da expressão formal dos valores dos componentes patrimoniais.

→ **O Princípio da Competência** determina que os efeitos das transações e outros eventos sejam reconhecidos nos períodos a que se referem, independentemente do recebimento ou pagamento. Parágrafo único. O Princípio da Competência pressupõe a simultaneidade da confrontação de receitas e de despesas correlatas.

A) Em relação às despesas: quando a empresa investe em um seguro de carro ou qualquer outro equipamento, por exemplo, por 12 meses, e opta por pagar em três parcelas, o valor total desse seguro aparecerá dividido em 12 meses, período de duração do contrato.

B) Em relação às receitas: é importante destacar que, para vendas parceladas, programadas para o ano seguinte, a receita deve ser considerada no ano da venda, por ocasião da emissão da nota fiscal de vendas, independentemente do recebimento ou não desses valores.

→ **O Princípio da Prudência** determina a adoção do menor valor para os componentes do ATIVO e do maior para os do PASSIVO, sempre que se apresentem alternativas igualmente válidas para a quantificação das mutações patrimoniais que alterem o patrimônio líquido.

A observância dos Princípios de Contabilidade é obrigatória no exercício da profissão e constitui condição de legitimidade das Normas Brasileiras de Contabilidade.

DICA Para conhecer outros conceitos e princípios gerais da contabilidade, acesse: http://www.cfc.org.br/uparq/normas_pme.pdf

Mesmo que você como gestor nunca as tenha classificado como princípios da Contabilidade, todas essas situações fazem parte do dia a dia de um empresário e, às vezes, nem se percebe a importância delas, até que aconteça alguma complicação.

Para ter segurança é importante registrar sempre todas as operações financeiras e utilizá-las para avaliar, controlar e planejar o seu negócio. A partir dos registros contábeis e financeiros, fica muita mais fácil a boa gestão dos negócios!

Este é o maior benefício da contabilidade: ter na mão dados para saber a hora certa de tomar decisões e agir!

VOCÊ SABE CALCULAR O SEU PATRIMÔNIO? 4

"As duas coisas mais importantes não aparecem no balanço de uma empresa: sua reputação e seus homens."

Henry Ford

PATRIMÔNIO

PATRIMÔNIO: conjunto de bens, direitos e obrigações.

BENS: qualquer coisa palpável, tipo computador, prédio, casa, carro, dinheiro em sua mão, máquinas etc...

DIREITOS: valores que são seus por natureza, mas que estão sob posse de outra pessoa, tipo: uma venda feita a prazo (é direito seu receber esse dinheiro, mas como tal dinheiro ainda não está com você, ele não chega a ser um bem, mas sim um direito, o direito de recebê-lo), o dinheiro no banco (ele não está com você) entre outros.

Podemos entender que o que diferencia BENS de DIREITO é a posse, não? Pois, na verdade, tudo que está nos dois exemplos acima pode ser avaliado em dinheiro; o que diferencia é se está ou não com você.

E o que seriam obrigações?

OBRIGAÇÕES: são o inverso de Direitos, ou seja, algo avaliável em dinheiro que não lhe pertence, mas que está com você, tipo:

→ Compra a Prazo – seu fornecedor vendeu-lhe mercadorias a prazo, é um direito dele receber e uma OBRIGAÇÃO sua, pagar; em troca dessa OBRIGAÇÃO foi que você adquiriu mercadorias.

→ Um Empréstimo – é um direito do banco ou financeira, por exemplo, e uma OBRIGAÇÃO sua, pagar.

→ Um carro emprestado – é um bem de outra pessoa, mas que, por algum motivo, está sob sua posse.

Com base na definição acima, vamos a novo exemplo, tomando desta vez como base o saldo bancário. Suponhamos que, dos R$100 mil de saldo, R$95 mil são de sua mãe, que depositou tal valor em sua conta. Ele (o dinheiro) não é patrimônio seu, e sim de sua mãe, correto? Você tem a posse dele, afinal ele está em sua conta, mas, em contrapartida, você também tem a obrigação de devolvê-lo a sua mãe, logo você tem uma obrigação com ela.

Ora, se você tem R$95 mil em sua conta e deve R$95 mil, esses valores se anulam. Simples assim.

Por isso a contabilidade considera as obrigações como partes do conjunto que perfaz o PATRIMÔNIO, para que você consiga apurar o seu PATRIMÔNIO LÍQUIDO (veremos o conceito de Patrimônio Líquido mais adiante).

Parece até simples dizer que é isso que a contabilidade faz, não? Só que na contabilidade qualquer fato que altere ou não o seu patrimônio é registrado, e por escrito, para não haver possibilidade de esquecimento.

Imagine a quantidade de transações que uma entidade faz por dia. Compras, vendas, trocas, pagamentos e outros.

Digamos que a empresa tenha obrigações, constituídas, de contas a pagar.

PATRIMÔNIO = BENS + DIREITOS - OBRIGAÇÕES
PATRIMÔNIO = R$250.000,00 - R$80.000,00 = R$170.000,00
PATRIMÔNIO, PORTANTO, É CONSTITUÍDO DOS BENS SOMADOS AOS DIREITOS E SUBTRAÍDAS AS OBRIGAÇÕES.

Em contabilidade, o termo patrimônio vem sendo associado à palavra balanço. Na verdade, balanço é a demonstração contábil do patrimônio.

Balanço é um demonstrativo do patrimônio que tem a finalidade de avaliar e controlar o desempenho e a atuação da empresa.

Para o comerciante levantar o balanço de sua empresa, é necessário somar bens mais direitos, o que representa o ativo, e as obrigações, que representam o passivo.

Como se pode perceber pelo balanço, em contabilidade os elementos positivos são denominados ativo, e os elementos negativos são denominados passivo.

O ativo, no caso de nossas suposições, é de R$250 mil (bens + direitos). E o passivo é igual a R$60 mil (contas a pagar). A diferença entre o ativo e o passivo representa exatamente o que chamamos de Patrimônio Líquido.

PASSIVO
(Elementos Negativos / Aplicações de Recursos)

OBRIGAÇÕES
Contas a pagar R$80.000,00

PATRIMÔNIO
(Calculado pela diferença entre o elemento positivo e o elemento negativo) R$170.000,00

TOTAL
R$250.000,00

O conhecimento do patrimônio da empresa é a melhor maneira de o comerciante avaliar o seu desempenho, pois, quando o patrimônio aumenta, vai tudo bem; caso contrário, há motivos para preocupações.

A ESCRITURAÇÃO E OS LIVROS CONTÁBEIS 5

"Para que as coisas funcionem é necessário contar com: informação válida, compromisso interno e acompanhamento permanente."

Chris Argyris

VOCÊ SABE POR QUE ESCRITURAR OS ATOS E FATOS CONTÁBEIS DA SUA EMPRESA?

Escrituração Contábil Regular é uma norma que estabelece critérios e procedimentos a serem desenvolvidos pelas entidades empresariais, demonstrando seus atos e fatos econômico-administrativos e suas movimentações financeiras. Ela é fundamental para o crescimento e bom desenvolvimento econômico da empresa, pois relata, com riqueza e clareza, detalhes e fatos importantes da instituição, tais como saídas e entradas de bens, gastos, lucros etc.

Nosso objetivo é explicar e esclarecer as necessidades de se manter uma escrituração contábil regular nas micro e pequenas empresas, com o objetivo de pesquisar se as micro e pequenas empresas adotam a escrituração contábil regular, mostrando o resultado, se lucro ou prejuízo, e apresentando também as vantagens de manter organizadas as informações da empresa. É um processo muito importante, pois pode livrar a empresa de gastos maiores no futuro, seja em discussões trabalhistas e fiscais, bem como distratos societários, trazendo segurança e maior comodidade nas prestações de contas do exercício da empresa.

Os métodos iniciais para a escrituração contábil regular são os livros: Diário e Razão. Ambos contêm registros permanentes da empresa e devem sempre expressar o verdadeiro significado das transações, não podendo ser refeitos.

A Escrituração Contábil é uma norma instituída por lei, que estabelece critérios e procedimentos a serem observados e desenvolvidos dentro da empresa. É por meio dela que se apuram as atividades, tais como movimentação de capital, transações e as diversas práticas administrativas. As fiscalizações estão cada vez mais exigentes quanto à clareza dos fatos que ocorrem dentro da empresa, não podendo haver fato obscuro ou espécie alguma de negligência quanto aos movimentos administrativos, encerramento de exercício etc.

Para as pequenas empresas que optam pela escrituração contábil, não apenas pelo fato de estarem obrigadas, há – entre outras – vantagens para o gestor, como maior controle financeiro e econômico; comprovação em juízo de fatos que dependem de perícia contábil; distribuição de lucros como forma de diminuir a carga tributária; fácil acesso às linhas de crédito que, geralmente, pedem o Balanço Patrimonial e as Demonstrações de Resultado da entidade.

Fonte: *Revista Acadêmica* da Faceca – RAF, v.1, n nº.8, pp. 18-27, jan-dez/2010.

OS PILARES E A ESSÊNCIA DA ESCRITURAÇÃO

A importância da contabilidade está para a empresa – seja de grande ou pequeno porte – assim como o plano de voo está para o piloto. Ao pilotar uma aeronave, independentemente do seu tamanho ou dos recursos aeroviários, sem fazer plano de voo, corre-se o risco de pouso forçado a qualquer momento e lugar. De consequências imprevisíveis, isso pode implicar apenas um grande susto aos passageiros, como, também, a total destruição da aeronave, com a morte de todos os usuários. Essa é a essência da Contabilidade: processo, ferramenta, controles, demonstrações, ou seja, instrumentos de gestão empresarial.

No Brasil, equivocadamente (com exceções), a escrituração mercantil e as atribuições do contador sempre estiveram associadas ao pagamento de impostos. Todavia, independentemente da forma de tributação adotada pela pessoa jurídica, é a contabilidade, por meio das demonstrações, que possibilita que o gestor posicione-se em relação a como estão se portando os negócios; qual a rentabilidade; o grau de endividamento; o comportamento das contas a receber e a pagar; a capacidade de solvência, antecipando – por conta das informações, causas, consequências – alternativas que se dispõem para a correção dos desvios em relação aos planos estabelecidos. Quando se presta e contempla as atribuições, a contabilidade cumpre a sua essência enquanto ciência informativa.

Portanto, é correto afirmar que, quanto mais completos e transparentes forem os registros da contabilidade, mais eficientes serão os diagnósticos, as conclusões, as causas. Também, se os relatórios forem analisados corretamente, muito mais fácil será prescreverem-se sintomas, avaliarem-se medidas, receitarem-se medicamentos.

Os contabilistas, empresários e usuários das informações devem se posicionar em conjunto para o equacionamento das enfermidades, independentemente do volume dos negócios.

Ratificando, a contabilidade constitui processo, ferramenta, instrumento de gestão empresarial. Os pilares que constituem a essência da contabilidade podem ser resumidos em: escrituração, princípios, transparência, submissão às normas, qualidade nos serviços e ética profissional. As conclusões aqui expendidas aplicam-se indistintamente às empresas tributadas por Lucro Real, Lucro Presumido, Lucro Arbitrado ou pelas regras do Simples Nacional, ainda que no caso desta última opção a pessoa jurídica tenha praticado escrituração simplificada.

Conforme já destacado, o contabilista deve executar a escrituração contábil e elaborar as demonstrações contábeis da empresa contratante nos termos das disposições vigentes, máxime em atendimento ao disposto no Art. 1.179 do Código Civil Brasileiro, Lei Nº 10.406/02, segundo o qual todo empresário ou sociedade empresária está obrigado a adotar e a seguir um sistema de contabilidade. Deve, portanto, o contabilista, na condição de preposto do contratante, contribuir para que o cliente atenda ao princípio da legalidade, fixado no sentido de que ninguém será obrigado a fazer ou a deixar de fazer alguma coisa senão em virtude de lei, não lhe sendo permitido alegar desconhecimento.

A ESCRITURAÇÃO SIMPLIFICADA — LEI Nº 123/06

A Lei Complementar Nº 123/06, batizada de Lei Geral das Microempresas e das Empresas de Pequeno Porte, assegura, no Art. 27, que as pessoas jurídicas enquadradas dentro das condições estabelecidas podem adotar "contabilidade simplificada". Todavia, considerando que, por essência da ciência, inexiste aquela figura, o Conselho Federal de Contabilidade, acolhendo o espírito do legislador, acabou ancorando o permissivo de uma "escrituração contábil simplificada". Portanto, em vez de realizar "contabilidade completa", as microempresas e as empresas de pequeno porte podem valer-se de sistema escritural de menor complexidade, mais prático em termos operacionais.

Seguindo-se na mesma norma legal, o Art. 68, ao acolher o disposto pelo Art. 970 da Lei N° 10.406/02 estabeleceu, ainda, tratamento mais diferenciado ao pequeno empresário – entendido: firma individual; e somente ela, com receita bruta anual de até R$ 36 mil, está agora dispensada de manter qualquer forma de escrituração contábil.

Assim, uma leitura atenta aos dispositivos da LC N° 123/06, combinada com o Art. 1.179 do Código Civil Brasileiro e outras disposições vigentes, com a ressalva do caso do pequeno empresário de que trata o Art. 970 da Lei N° 10.406/02, corrobora a conclusão sobre a obrigatoriedade da escrituração contábil.

Todavia, é preciso aceitar que muitas discussões afloram o cotidiano profissional sobre a obrigatoriedade, ou não, de as microempresas e das empresas de pequeno porte fazerem contabilidade, especialmente pelo fato de que, para fins de apuração dos tributos, o legislador apenas fixou a exigência do Livro de Movimentação Financeira, além de outros meramente fiscais e que dispensam comentários.

Alguns defensores da desobrigação sustentam que a manutenção de livros contábeis representa burocracia fiscal e custo elevado; que a dispensa daquela obrigação estaria evidenciando tratamento diferenciado para as micro e pequenas empresas, entendendo e se posicionando no sentido de que a contabilidade constitui empecilho, ônus e exigência impeditiva ao crescimento daquelas empresas.

Todavia, conforme já fundamentado no âmbito das esferas comerciais e do direito societário ou falimentar, o panorama é diferente: as empresas que não praticam contabilidade regular correm risco de terem seus gestores responsabilizados por crimes de falência fraudulenta, sonegação, crime contra a economia popular, concorrência desleal, entre outros tipificados. Além disso, a contabilidade regular constitui meio de proteção da sociedade para aferição quanto ao desempenho do empreendimento sob o ponto de vista social da geração de empregos, da aplicação dos impostos arrecadados, da implantação dos projetos de expansão e da avaliação das taxas de retorno por parte de fornecedores, terceiros interessados e instituições que aportaram financiamentos.

Por outro lado, sob a temática da gestão empresarial, a contabilidade oferece aos gestores ferramenta indispensável, com informação confiável para tomadas de decisões, permitindo ações corretivas, projeções, simulações, bem como análises e conclusões para a correta consecução dos planos de crescimento ou inserção da empresa no cenário do segmento econômico.

A Contabilidade, por seu turno, presta-se para a defesa dos interesses da empresa ou de seus gestores quanto aos atos praticados, às garantias oferecidas, aos contratos de longo prazo, bem como fazer prova contra terceiros, eventualmente demandantes em sentido contrário. A contabilidade é, sob determinados aspectos, necessária, oportuna e imprescindível.

Os registros e os assentos dos atos e dos fatos administrativos, suscetíveis de avaliação financeira e patrimonial, são a essência da escrituração contábil. Logo, ao fazer a escrituração completa da entidade, o profissional contabilista está contribuindo para a correta apuração dos resultados da empresa. Essa escrituração regular, diga-se, obrigatória, deve estar revestida das formalidades legais e, ainda, ser processada a partir da observância das Normas Brasileiras de Contabilidade.

É oportuno reavivar a necessidade de as demonstrações contábeis estarem assinadas pelo contabilista e pelo administrador da empresa, não importando o enquadramento fiscal do contribuinte, o seu porte ou se a empresa é, ou não, tributada por este ou aquele regime. Neste particular, vale observar o que também determina o Art. 1179 do Código Civil. Portanto, quando se fala de escrituração contábil ou de Livro Diário, trata-se da segurança do contabilista.

LIVROS FISCAIS EXIGIDOS DE ME E EPP

Conforme disposto na Lei Complementar Nº 123/06, no Regulamento do Imposto de Renda e nas Resoluções do Comitê Gestor do Simples Nacional, as empresas enquadradas como ME e EPP devem manter em boa ordem os documentos que embasam os cálculos dos tributos e contribuições, ainda que adotem escrituração simplificada, a fim de permitir a correta aferição dos recolhimentos realizados a título de Simples Nacional. Entre os livros obrigatórios, destacam-se:

- Livro de Registro de Entradas;
- Livro de Serviços Prestados;
- Livro de Serviços Tomados;
- Livro de Movimentação Financeira;
- Livro de Inventário.

Assim sendo, para fins de apurações fiscais, as MEs e as EPPs não precisam apresentar o Livro Diário ou o Livro Razão. Entretanto, os livros fiscais devem ser escriturados e mantidos à disposição da fiscalização pelo prazo decadencial fixado para atendimento das necessidades prescritas pelo legislador. Todavia, referidas empresas não estão dispensadas da escrituração mercantil, conforme regramento determinativo da Lei Nº 10.406/02.

Ressalte-se, também, que o Livro de Movimentação Financeira não pode ser confundido com Livro Caixa; haja vista que este se refere apenas a recebimentos e pagamentos efetuados, enquanto o livro anterior exige a escrituração com toda a movimentação financeira verificada, inclusive a bancária. Note-se que a exigência de escrituração fiscal não se restringe aos ingressos de recursos, mas também alcança pagamentos efetuados com despesas e custos que decorram da atividade empresarial, tais como compras de mercadorias ou serviços tomados.

Certamente essas exigências têm um propósito: acompanhar o desempenho das despesas e custos, em face dos recursos declarados. Ora, se a legislação fiscal requer informes detalhados sobre os ingressos e as saídas de recursos, está claro que o legislador desejou saber o resultado do negócio do contribuinte analisando sua capacidade de pagamento e a forma como se comporta em termos de caixa.

CONTABILIDADE A SERVIÇO DA GESTÃO EMPRESARIAL

O processo da escrituração avança, ganha novos contextos e se constitui, em algumas corporações, ferramenta de gestão indissociável da área financeira. A contabilidade gerencial é um sistema de informações financeiras e operacionais empregado para mensurar, avaliar e posicionar investimentos e resultados empresariais, fornecendo orientações para tabulação do fluxo de caixa, planejamento, controles e tomadas de decisão.

Sob este prisma, a escrituração contábil, mesmo quando simplificada, presta-se para posicionar informações próprias da contabilidade gerencial, com reflexos positivos nas interações dos planos, das execuções e dos controles corporativos.

Logo, considerando estes aspectos, a contabilidade é importante para:

→ Apuração do custo dos produtos, das mercadorias e dos serviços vendidos;
→ Formação dos preços de venda;
→ Estabelecer necessidades de capital de giro;
→ Apuração de indicadores econômicos e financeiros;
→ Planejamento empresarial ou fiscal para a empresa;
→ Eficiência e segurança nas tomadas de decisão.

Fonte: http://www.crcsp.org.br/portal_novo/publicacoes/
escrituracao_contabil/capitulo_3.htm#c_3_04

SUA EMPRESA ESTÁ DANDO LUCROS? 6

"Se você está crescendo, sempre estará fora da zona protegida."

John Maxwell

Uma empresa é constituída sob o pressuposto da continuidade. A garantia da continuidade da empresa só é alcançada quando as atividades realizadas geram um resultado no mínimo suficiente para assegurar a reposição dos ativos consumidos no processo de realização dessas atividades.

Para que ela continue atuando num mercado competitivo, não deve ter apenas lucro suficiente para sobreviver. É preciso analisar as tendências, prever o futuro, traçar metas claras e, sobretudo, investir para realizá-las no médio e no longo prazo, caracterizando um processo objetivo, mas controlável e com flexibilidade.

O desenvolvimento da empresa diante dos desafios que se fazem cada vez mais presentes – e que nos colocam diante de nossa competência e talento para traçar a direção correta em busca dos resultados necessários ao crescimento das organizações – encontra-se em meio às grandes mudanças econômicas do mercado, pois são muitos os fatos decorrentes de situações emergentes que reivindicam, do empresário, medidas rápidas e decisivas, as quais têm por objetivo a continuidade do empreendimento.

Muitas vezes o empresário deve tomar decisões difíceis, até mesmo para valorizar quem trabalha corretamente para o seu sucesso. A individualidade faz parte de um gerenciamento sem espaço na visão das novas organizações, que extinguem definitivamente o autoritarismo, fazendo também prevalecer a autoridade conquistada. No modelo da administração moderna, para que as atividades tenham efeitos positivos e de transformação, deve-se envolver todos os colaboradores da organização, desde o auxiliar de serviços gerais até o mais alto escalão, constituindo assim uma unidade empresarial.

Vejamos como evolui o patrimônio após uma série de transações, das quais se pode verificar o surgimento do lucro.

LUCRO

O PRINCIPAL OBJETIVO DA EMPRESA É O LUCRO, QUE É O AUMENTO DO PATRIMÔNIO.

Suponhamos que um comerciante iniciou seu negócio com R$150 mil. O seu balanço inicial será representado:

ATIVO / Bens	R$	PASSIVO / Obrigações	R$
Dinheiro em Caixa	150 mil	Contas a pagar	0
Direitos (contas a receber)	0	Patrimônio (inicial)	150 mil
TOTAL	150 mil	TOTAL	150 mil

Dois dias depois, adquiriu móveis e utensílios. Por isso tudo pagou à vista R$10 mil; portanto, dois dias depois seu balanço seria assim representado:

ATIVO / Bens	R$	PASSIVO / Obrigações	R$
Caixa	140 mil	Contas a pagar	0
Móveis	10 mil		
Direitos (contas a receber)	0	Patrimônio (inicial)	150 mil
TOTAL	150 mil	TOTAL	150 mil

Mais três dias depois, adquiriu mercadorias à vista, no valor de R$30 mil. É evidente que seu patrimônio continua o mesmo, mas seu balanço será assim representado:

ATIVO / Bens	R$	PASSIVO / Obrigações	R$
Caixa	110 mil	Contas a pagar	0
Móveis	10 mil		
Mercadorias	30 mil		
Direitos (contas a receber)	0	Patrimônio (inicial)	150 mil
TOTAL	150 mil	TOTAL	150 mil

Passados mais alguns dias, o comerciante adquiriu outro lote de mercadorias, no valor de R$30 mil. Desta vez, as mercadorias foram adquiridas a prazo, portanto, assumiu uma obrigação para com seus fornecedores. A conta de "Mercadorias", que era de R$30 mil, passou para R$60 mil, alterando a conta "Obrigações", que ficou, agora, com R$30 mil.

Embora os totais do ATIVO e do PASSIVO tenham sido alterados, o Patrimônio permanece em R$150 mil.

ATIVO / Bens	R$	PASSIVO / Obrigações	R$
Caixa	110 mil	Contas a pagar	30 mil
Móveis	10 mil		
Mercadorias	60 mil		
Direitos (contas a receber)	0	Patrimônio (inicial)	150 mil
TOTAL	180 mil	TOTAL	180 mil

Finalmente, o comerciante vende todas as mercadorias por R$ 100 mil. Com isto, o Caixa passou de R$110 mil para R$210 mil.

A conta "Mercadoria" ficou em zero e o Patrimônio passou de R$150 mil para R$190 mil.

ATIVO / Bens	R$	PASSIVO / Obrigações	R$
Dinheiro em caixa	210 mil	Contas a pagar	30 mil
Móveis	10 mil		
Mercadorias	0		
Direitos (contas a receber)	0	Patrimônio (final)	190 mil
TOTAL	220 mil	TOTAL	220 mil

Lucro = Patrimônio Líquido Final – Patrimônio

Lucro = R$190.000,00 – R$150.000,00 = R$40.000,00

Assim, o Lucro é igual a R$190 mil, do Patrimônio Final, menos R$ 150 mil, do Patrimônio Inicial. Portanto, o Lucro é de R$ 40 mil.

Lucro é a diferença entre o patrimônio líquido final e o patrimônio líquido inicial.

No caso, trata-se de lucro bruto, portanto, sujeito a algumas obrigações fiscais. Atendidas as obrigações, com o que sobrar o comerciante tem duas alternativas:

1) Distribuir os lucros entre os sócios e acionistas;
2) Reinvestir na empresa, reforçando o seu capital.

Assim, no balanço final aparecerá o lucro de R$40 mil, valor da variação do patrimônio.

ATIVO / BENS	R$	PASSIVO / OBRIGAÇÕES	R$
Dinheiro em caixa	210 mil	Contas a pagar	30 mil
Móveis	10 mil	Patrimônio (inicial)	150 mil
		Lucro	40 mil
TOTAL	220 mil	TOTAL	220 mil

VOCÊ SABE O VALOR DE SEU CAPITAL DE GIRO? 7

"O planejamento de longo prazo não lida com decisões futuras, mas com o futuro de decisões presentes."

Peter Drucker

Você sabe o valor de seu capital de giro? Toda vez que os empresários se reúnem, mesmo que seja num barzinho, depois do trabalho, acaba havendo algumas reclamações a esse respeito.

Para calcular o capital de giro próprio, é necessário conhecer as contas que constituem o ATIVO CIRCULANTE e o PASSIVO CIRCULANTE.

ATIVO CIRCULANTE:

→ Disponível: dinheiro em Caixa e nos Bancos;
→ Realizável financeiro: os direitos da empresa, com prazo de recebimento de até 360 dias;
→ Realizável dos estoques: mercadorias em estoque.

A soma dessas contas forma o ativo circulante.

PASSIVO CIRCULANTE:

→ Exigível a curto prazo: obrigações da empresa com terceiros com prazo de até 360 dias.

Vejamos como agrupar as contas segundo a visão de balanço, apresentada anteriormente, mas sob novo enfoque, para cálculo do capital de giro próprio.

ATIVO	R$	PASSIVO	R$
Disponível:		**Exigível (a curto prazo):**	
Dinheiro	43 mil	Empréstimos a pagar	20 mil
		Duplicatas a pagar	12 mil
Realizável financeiro:		Impostos a pagar	8 mil
		Encargos sociais a pagar	6 mil
Aluguéis a receber	2 mil		
Duplicatas a receber	5 mil	**Lucros do**	
Promissórias a receber	6 mil	**patrimônio líquido:**	34 mil
Realizável / estoques:			
Mercadorias em estoque	8 mil		
Imobilizado:			
Imóveis	10 mil		
Veículos	6 mil		
TOTAL	**80 mil**	**TOTAL**	**80 mil**

O CAPITAL DE GIRO PRÓPRIO

O capital de giro próprio é a diferença entre o ativo circulante e o passivo circulante.

ATIVO CIRCULANTE	R$	PASSIVO CIRCULANTE	R$
Disponível:	43 mil	Exigível (a curto prazo):	46 mil
Realizável financeiro:	13 mil		
Realizável / estoques:	8 mil		
TOTAL	64 mil	TOTAL	46 mil

Como se verifica, assim fica fácil compreender como se formam ATIVO CIRCULANTE, PASSIVO CIRCULANTE e, por diferença entre eles, o CAPITAL DE GIRO PRÓPRIO.

> **CAPITAL DE GIRO PRÓPRIO = ATIVO CIRCULANTE - PASSIVO CIRCULANTE**

Portanto, o capital de giro próprio dessa empresa é R$18.000,00.

CAPITAL DE GIRO PRÓPRIO = R$64.000 – R$46.000 = R$18.000

CONTROLE OS CUSTOS OPERACIONAIS DE SUA EMPRESA | 8

"Tem cuidado com os custos pequenos! Uma pequena fenda afunda grandes barcos."

Benjamin Franklin

A empresa comercial que não adota um critério de controle de custos pode estar estabelecendo preços de venda de forma imprecisa, comprando mal ou perdendo lucro.

As vendas a preço abaixo do real significam diminuição do lucro ou prejuízo. Com preço de venda acima do real, é difícil vencer os concorrentes, significando prejuízos para a imagem do estabelecimento e perda da clientela.

Um eficiente controle de custos possibilita ao comerciante:

→ Conhecer a rentabilidade de sua empresa;

→ Determinar o ponto de equilíbrio;

→ Determinar a taxa de marcação ideal;

→ Aumentar o volume de vendas;

→ Reduzir os custos controláveis;

→ Definir uma política de preços compatível com as condições da empresa e do mercado em que atua.

São os seguintes os elementos que compõem o custo operacional de uma empresa: despesas de aquisição, despesas de venda, despesas de administração, despesas financeiras, despesas tributárias. Outro enfoque é o de custos fixos e custos variáveis.

DESPESAS DE AQUISIÇÃO

> **AS DESPESAS DE AQUISIÇÃO REPRESENTAM O PREÇO DE COMPRA DAS MERCADORIAS, MAIS OS GASTOS REALIZADOS EM FUNÇÃO DAS COMPRAS.**

O custo de aquisição de mercadorias é composto pelo preço – tributos recuperáveis + despesas necessárias para colocar o bem no estabelecimento.

O preço é o valor total da nota fiscal; os impostos recuperáveis são aqueles que a empresa, sendo contribuinte, tem direito de aproveitamento de crédito na escrituração fiscal (ICMS, IPI e as contribuições PIS-Pasep e Cofins não cumulativas); e as despesas necessárias são basicamente o frete e o seguro, quando esses gastos correm por conta do adquirente.

No caso de mercadorias importadas, além dos itens já citados, o Imposto de Importação, os gastos aduaneiros e de transbordo, assim como a variação cambial verificados até o desembaraço do bem, também compõem o custo de aquisição.

DESPESAS DE VENDA

As despesas de venda compreendem todos os gastos decorrentes da venda de mercadorias.

As despesas com vendas representam os desembolsos efetuados ou comprometidos pela empresa para levar seu produto até o consumidor final ou prestar-lhe um serviço. As contas mais comuns são: despesas com pessoal de vendas, comissões sobre as vendas realizadas, propaganda e publicidade, provisão para devedores duvidosos, encargos sociais, PIS, Cofins, ICMS etc.

DESPESAS DE ADIMINISTRAÇÃO

As despesas de administração compreendem os gastos com o controle geral das operações empresariais.

São as despesas provenientes da gerência efetiva do negócio. As contas mais comuns são: despesas com pessoal administrativo, despesas com aluguel do escritório, seguros, depreciação de equipamento de informática e móveis da administração etc.

As despesas de administração – que se referem aos serviços internos da empresa – compreendem: "honorários, salários, ordenados e encargos sociais do pessoal administrativo"; "material de consumo", "aluguéis, telefones, água, luz, correios e telégrafos" e demais despesas tipicamente administrativas.

DESPESAS FINANCEIRAS

> **AS DESPESAS FINANCEIRAS SÃO AS ORIGINADAS DE EMPRÉSTIMOS, OPERAÇÕES BANCÁRIAS COMO EMPRÉSTIMOS, DESCONTOS OU CAUÇÃO DE TÍTULOS.**

A conta de despesas financeiras líquidas representa, num primeiro momento, as despesas financeiras provenientes do custo da captação de terceiros. As contas representativas são: juros pagos, comissões bancárias, descontos concedidos a terceiros, antecipação de créditos etc. (...)

DESPESAS TRIBUTÁRIAS

> **AS DESPESAS TRIBUTÁRIAS COMPREENDEM OS GASTOS COM TRIBUTOS FEDERAIS, ESTADUAIS E MUNICIPAIS.**

Essas despesas são vinculadas a ICMS (Imposto sobre Circulação de Mercadorias e Serviços); ISSQN (Imposto sobre Serviços de Qualquer Natureza); Imposto Predial e Territorial, e outras com características de tributo.

CLASSIFICAÇÃO DOS CUSTOS OPERACIONAIS

Os custos operacionais são classificados, ainda, em Custos Fixos e Custos Variáveis.

CUSTOS FIXOS

OS CUSTOS FIXOS SÃO OS CUSTOS OPERACIONAIS QUE NÃO SE ALTERAM COM A QUANTIDADE DE MERCADORIAS PRODUZIDAS E/OU VENDIDAS.

Esses custos permanecem inalterados, não sofrendo influências da movimentação maior ou menor do volume de vendas. Não mudam, esteja a empresa funcionando ou não.

Os custos fixos aumentam ou diminuem apenas quando ocorre uma modificação estrutural da capacidade operativa da empresa.

Dentre os custos de uma empresa poderíamos citar como fixos: os gastos com os ordenados, a propaganda, a publicidade e outros.

CUSTOS VARIÁVEIS

OS CUSTOS VARIÁVEIS SÃO OS CUSTOS OPERACIONAIS QUE SE ALTERAM COM AS MUDANÇAS NO VOLUME DE VENDAS.

Classificamos como custos ou despesas variáveis aqueles que variam proporcionalmente, de acordo com o nível de produção ou atividades. Seus valores dependem diretamente do volume produzido ou volume de vendas efetivado num determinado período. Exemplos: matérias-primas; comissões de vendas; insumos produtivos (água, energia), tributos.

Os custos variáveis serão nulos quando a empresa não estiver desenvolvendo alguma atividade. A soma dos custos fixos aos variáveis fornece o Custo Total, ou seja, é o somatório de todos os custos que você tem na elaboração e/ou comercialização de um produto.

Vamos ver como ficaria um quadro de classificação dos custos fixos e variáveis.

QUADRO DE CLASSIFICAÇÃO DOS CUSTOS

DISCRIMINAÇÃO	CUSTOS FIXOS	CUSTOS VARIÁVEIS
Despesas de Aquisição		**R$380.000,00**
Custo de Mercadoria Vendida (CMV)		R$350.000,00
Frete		R$20.000,00
Seguro		10.000,00
Despesas de Vendas	**R$21.000,00**	**43.000,00**
Ordenados de vendedores	R$12.500,00	
Encargos sociais sobre ordenados	R$6.300,00	
Comissões sobre vendas		R$5.500,00
Propaganda e publicidade	R$2.200,00	
Encargos Sociais sobre comissões		R$3.600,00
PIS sobre faturamento		R$3.700,00
Despesas sobre ICMS		R$23.300,00
Cofins		R$6.900,00
Despesas sobre Administração	**R$67.900,00**	

DISCRIMINAÇÃO	CUSTOS FIXOS	CUSTOS VARIÁVEIS
Prólabore	R$10.000,00	
Honorários do contador	R$1.100,00	
Salários da administração	R$23.500,00	
Encargos sociais do pessoal	R$7.750,00	
Aluguéis	R$3.000,00	
Luz, água e telefone	R$2.400,00	
Matérias de consumo	R$20.000,00	
Correspondências	R$150,00	
Despesas Financeiras	**R$2.600,00**	
Despesas Bancárias	R$850,00	
Juros Pagos	R$750,00	
Despesas Tributárias	**R$2.100,00**	**R$7.500,00**
Impostos Municipais	R$2.100,00	R$7.500,00
Imposto de Renda		
Total dos Custos Fixos (A)	**R$94.500,00**	
Total dos Custos Variáveis (B)		**R$430.500,00**
TOTAL DOS CUSTOS (A+B) = R$525.000,00		

Uma vez conhecidos os custos fixos e variáveis, temos condições de definir o volume de vendas necessário para cobrir todos os gastos obrigatórios para o bom funcionamento das atividades empresariais.

QUAL É O PONTO DE EQUILÍBRIO DE SUA EMPRESA? 9

"Onde há uma empresa de sucesso, alguém tomou alguma vez uma decisão valente."

Peter Drucker

O ponto de equilíbrio – também conhecido como "ponto de nivelamento", "ponto de nulo", "ponto de empate", "ponto crítico", "lucro igual a zero" – refere-se ao nível de vendas de uma empresa no qual não existe lucro nem prejuízo. Nele os custos são iguais às receitas, indicando o volume mínimo de vendas necessário para evitar um prejuízo.

A demonstração do ponto de equilíbrio é feita através de cálculo matemático ou de gráfico. Usaremos apenas o modelo matemático. Qualquer desses métodos pressupõe o conhecimento dos custos fixos e variáveis. Para levantar os valores correspondentes aos custos fixos e variáveis, utiliza-se o formulário apresentado anteriormente.

Para o ponto de equilíbrio contábil são levados em conta os custos fixos contábeis relacionados com o funcionamento da empresa.

Ponto de equilíbrio é o valor ou a quantidade que a empresa precisa vender para cobrir o custo das mercadorias vendidas, as despesas variáveis e as despesas fixas.

REPRESENTAÇÃO GRÁFICA DO PONTO DE EQUILÍBRIO

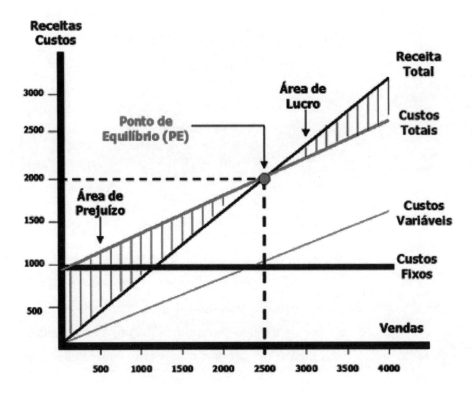

Conforme se pode observar na figura acima, o ponto de equilíbrio é o ponto onde a linha da receita cruza com a linha do custo total. Para se calcular o ponto de equilíbrio, faz-se necessário o conhecimento do conceito de margem de contribuição.

O ponto de equilíbrio é calculado das seguintes formas:

1. PONTO DE EQUILÍBRIO EM VALORES

Valor total das despesas fixas, dividido pela porcentagem da margem de contribuição. Exemplo:

→ Valor total das despesas fixas = R$5.000,00;

→ Porcentagem margem de contribuição = 30%;

→ Ponto de Equilíbrio: R$5.000,00 / 30 x 100 = R$16.666,667.

Ou seja:

$$\frac{R\$5.000,00}{30} \times 100 = R\$16.666,67$$

Pressupõe-se então a necessidade, nesse exemplo, de um faturamento igual a R$ 16.666,67 para cobrir o custo das mercadorias vendidas, as despesas variáveis e as despesas fixas. Somente a partir desse faturamento, a empresa começaria a ter lucro.

2. PONTO DE EQUILÍBRIO EM QUANTIDADES

Valor total das despesas fixas, dividido pelo valor da margem de contribuição. Exemplo:

→ Valor das despesas fixas = R$5.000,00;

→ Valor da margem de contribuição = R$6,00;

→ Ponto de Equilíbrio em Quantidades: R$5.000,00 / R$6,00 = 833 unidades.

Ou seja:

$$\frac{R\$5.000,00}{R\$6,00} = 833 \text{ unidades}$$

Quando forem produzidas e vendidas 833 unidades de produção, a empresa estará em equilíbrio financeiro. Este equilíbrio também pode ser calculado em dias. Nesse caso, quantos dias de produção são necessários para que os gastos se igualem às receitas.

MARGEM DE CONTRIBUIÇÃO

A margem de contribuição é a quantia em dinheiro que sobra do preço de venda de um produto, serviço ou mercadoria após retirado o valor do custo variável unitário. Esta quantia é que irá garantir a cobertura do custo fixo e o lucro, após a empresa ter atingido o ponto de equilíbrio, ou ponto crítico de vendas (*break-even-point*).

A margem de contribuição é calculada da seguinte forma:

Margem de Contribuição (MC) = Preço de Venda (PV) – Custo da Mercadoria Vendida (CMV) – Despesas Variáveis (DV).

$$\boxed{\textbf{MC= PV-CMV-DV}}$$

Exemplo: Uma loja de camisas que venda uma camisa por R$ 50,00 pode apresentar a seguinte situação:

Preço de Venda (PV) = R$50,00 (100%)
(-) Custo da Mercadoria Vendida (CMV) = R$30,00 (60%)
(-)Despesas Variáveis (DV) = R$5,00 (10%)
(=) Margem de Contribuição (MC) = R$15,00 (30%)
(PV) R$50,00 – (CMV) R$ 30,00 – (DV) R$5,00 = **(MC) R$15,00**

Sendo assim, a margem de contribuição na venda de cada camisa representa 30%, logo 30% do meu faturamento mensal deverá equivaler ao montante de minhas despesas fixas.

Como já é sabido, a margem de contribuição nada mais é do que os resultados positivos, obtidos através da receita, menos os custos variáveis. Este resultado, que é a margem de contribuição, deverá ser igual aos custos fixos para que se chegue ao ponto de equilíbrio.

Fórmula do Ponto de Equilíbrio:

$$PE = \frac{Custos\ Fixos}{\%\ Margem\ Contribuição}$$

Descobrindo % da Margem de Contribuição:

Demonstração de Resultado da empresa "JFA"

ITEM	VALORES	%
Receita	R$100.000,00	100%
(-) Custos Variáveis	R$65.000,00	65%
= Margem de Contribuição	R$35.000,00	35%
(-) Custos Fixos	R$28.000,00	
= Resultado	R$7.000,00	

PONTO DE EQUILÍBRIO CONTÁBIL

É o mínimo que deveremos vender num determinado período de tempo para que nossas operações não deem prejuízo. Obviamente também não estaremos conseguindo lucro. No caso da empresa acima, o ponto de equilíbrio seria:

$$PE = \frac{R\$28.000,00}{35} \times 100 \quad \textbf{PE = R\$80.000,00}$$

Ou seja, R$80.000,00 é o mínimo, aproximadamente, que esta empresa tem que vender para conseguir bancar a sua estrutura, ou seja, para não amargar um prejuízo.

Veja na tabela a seguir, a demonstração de resultado da empresa "JFA".

ITEM	VALORES	%
Receita	R$80.000,00	100%
(-) Custos Variáveis	R$52.000,00	65%
= Margem de Contribuição	R$28.000,00	35%
(-) Custos Fixos	R$28.000,00	
= Resultado	R$0,00	

PONTO DE EQUILÍBRIO ECONÔMICO

É o ponto de equilíbrio com um lucro desejado. Poderá acontecer de, no processo de elaboração orçamentária, a diretoria determine um ponto de equilíbrio com um lucro desejado. Vamos ver o cálculo, tomando como exemplo a demonstração da empresa "JFA", considerando que o gestor determinou um lucro desejado de R$6.000,00, acima do ponto de equilíbrio:

$$PE = \frac{R\$28.000,00 + R\$6.000,00}{35} \times 100 \quad PE = R\$97.142,86$$

Verificação: Demonstração de Resultado do **PE** da empresa "JFA".

ITEM	VALORES	%
Receita	R$97.142,86	100%
(-) Custos Variáveis	R$63.142,86	65%
= Margem de Contribuição	R$34.000,00	35%
(-) Custos Fixos	R$28.000,00	
= Resultado	R$6.000,00	

PONTO DE EQUILÍBRIO FINANCEIRO

É quando dentro dos custos fixos existem variações patrimoniais que não significam desembolsos para a empresa, mas que, de acordo com os Princípios Contábeis, essas variações devem figurar no resultado do exercício, sendo confrontada com a receita, porque contribuíram para a constituição da mesma.

Exemplo clássico é a depreciação. Usando o mesmo exemplo anterior, sem o lucro desejado, vamos imaginar que dentro dos custos fixos exista um valor de R$2.000,00 referente à depreciação. Eliminando-se a depreciação, o ponto de equilíbrio cai.

$$PE = \frac{R\$28.000,00 - R\$2.000,00}{35} \times 100 \quad PE = R\$\ 74.285,71$$

Verificação: Demonstração de Resultado do **PE** da empresa "XYZ".

ITEM	VALORES	%
Receita	R$74.285,71	100%
(-) Custos Variáveis	R$48.285,71	65%
= Margem de Contribuição	R$26.000,00	35%
(-) Custos Fixos	R$26.000,00	
= Resultado	R$0,00	

BENEFÍCIOS DO PONTO DE EQUILÍBRIO

O cálculo do ponto de equilíbrio pode beneficiar a empresa ao suprir a necessidade de informações dos gestores quanto aos efeitos de decisões relacionadas com:

A) Alteração do *mix* de vendas, tendo em vista o comportamento do mercado (a eliminação ou a substituição dos produtos atuais por outros com margens de contribuição diferentes impactará de que forma no lucro do período?);

B) Definição do *mix* de produtos, do nível de produção e preço do produto (propiciando a escolha dos produtos e preços mais interessantes para otimizar o resultado mensal);

c) Responde a perguntas que exigem respostas rápidas, tais como:

→ Quantas unidades de produto devem ser vendidas para obter-se determinado montante de lucro?

→ Qual a influência de um desconto promocional nos preços de vendas?

→ Que acontecerá com o lucro se o preço de venda aumentar ou diminuir?

→ Que acontecerá com o ponto de equilíbrio se determinada matéria-prima aumentar 20% e não houver condições de repassá-la aos preços dos produtos?

→ Um aumento nos custos fixos (por exemplo: salários) terá qual influência no resultado da empresa?

D) Útil ao planejamento e controle de vendas e de resultados, etc.

A utilização do ponto de equilíbrio e a consequente análise das receitas de vendas e custos, tornam-se indispensáveis como instrumento de apoio gerencial, podendo fornecer informações variadas, que serão descritas na sequência. Leone (2000, p.427) diz que a utilização e a análise dos conceitos de ponto de equilíbrio têm como objetivo auxiliar as funções de planejamento e de tomada de decisões gerenciais de curto prazo da empresa.

De acordo com Atkinson (2000, p.224). através da análise do ponto de equilíbrio os gerentes podem desenvolver modelos de planejamento para avaliar as alternativas da empresa e as mudanças na lucratividade resultantes das mudanças nos níveis das atividades de produção e vendas.

Através das vantagens apresentadas, observa-se que a aplicação do ponto de equilíbrio nas decisões de curto prazo traz grandes benefícios para a organização. Com base nas informações disponibilizadas por essa ferramenta, a empresa passa a ter condições de tomar decisões mais precisas e, portanto, com mais segurança.

LIMITAÇÕES DO PONTO DE EQUILÍBRIO

Constata-se, assim, que o PE possui limitações que devem ser consideradas pelo gestor face ao tipo de atividade e do horizonte de tempo da tomada de decisão na qual será empregado.

Cabe ao gestor pesar os prós e os contras em cada caso, verificando a conveniência de utilizá-los ou não na decisão a ser tomada.

Wernke (2001, p.56) afirma que os gerentes devem ficar atentos com relação às limitações apresentadas na utilização do ponto de equilíbrio. Enfatiza que tal técnica só deve ser utilizada em gestão de curto prazo e faz, ainda, o seguinte comentário: "não se pode pensar num planejamento de longo prazo para empresas que não dêem resultado positivo e não remunerem os detentores de suas fontes de recursos".

Portanto, constata-se, assim, que o PE possui limitações que devem ser consideradas pelo gestor face ao tipo de atividade e do horizonte de tempo da tomada de decisão na qual será empregado. Cabe ao gestor ou ao analista de custos pesar os prós e os contras em cada caso, verificando a conveniência de utilizá-los ou não na decisão a ser tomada.

COMO VAI O CAIXA DE SUA EMPRESA? 10

"Preço é o que você paga. Valor é o que você recebe"

Warren Buffet, investidor

O Caixa, onde são registradas as entradas e saídas de dinheiro, tem como objetivos:

→ Analisar, individualmente, as contas de entradas e saídas financeiras;

→ Prever, com certa margem de segurança, as operações financeiras de um determinado período;

→ Administrar e controlar financeiramente a empresa através de informações precisas.

O sistema de controle de Caixa é constituído do Boletim de Caixa (ou Movimento de Caixa) e Controle Individual de Contas.

O Boletim de Caixa tem por finalidade registrar diariamente as operações de entrada e saída de dinheiro do caixa.

A seguir apresentamos um modelo de Boletim de Caixa, com movimento hipotético, para dar uma ideia de suas características e utilidade.

BOLETIM DE CAIXA / DATA: ___/___/___		
HISTÓRICO	**ENTRADAS**	**SAÍDAS**
Recebimento de vendas à vista	R$420,00	
Recebimento de vendas a prazo	R$510,00	
Recebimento de operações bancárias	R$320,00	
Pagamento de compras à vista		R$200,00
Pagamento de compras a prazo		R$100,00
Financiamento	R$750,00	
Empréstimos		R$150,00
Pagamento de ordenados		R$350,00
Juros sobre recebimento de vendas a prazo	R$70,00	
TOTAIS	**R$2.070,00**	**R$800,00**
SALDO ANTERIOR	**R$1.850,00**	
+ ENTRADAS	**R$2.070,00**	
- SAÍDAS	**R$800,00**	
= SALDO ATUAL	**R$3.120,00**	

O Controle Individual de Contas permite a análise mensal de cada uma das contas de receitas e despesas. Seu objetivo é:

→ lançar as contas para, ao final do mês, poder-se analisar as contas de receitas e despesas, com visão crítica do movimento financeiro e do fluxo do Caixa da empresa num determinado período.

Apresentamos a seguir um modelo de formulário "Controle Individual de Contas", com dados hipotéticos.

CONTROLE INDIVIDUAL DE CONTAS			
CONTA - RECEBIMENTO DE VENDAS A PRAZO			
DATA	VALOR	DATA	VALOR-R$
01/02/09	R$20.000,00		
02/02/09	R$80.000,00		
03/02/09	R$150.000,00		
04/02/09	R$95.000,00		
05/02/09	R$112.000,00		
06/02/09	R$84.000,00		
TOTAL		TOTAL	

O Controle Individual de Contas deverá ser utilizado para cada uma das contas específicas do movimento do Caixa. As contas mais comuns nas pequenas empresas são:

ENTRADAS (RECEBIMENTO)

→ de vendas à vista e a prazo;
→ de operação bancária;
→ de financiamento e empréstimo, e de juros sobre recebimento de vendas a prazo.

Saídas (pagamentos)

→ de compras à vista e a prazo;

→ de "impostos e taxas" e de "despesas de vendas";

→ de ordenados, salários, contribuições e outros encargos;

→ de outras despesas e saídas de outras origens.

VOCÊ SABE QUAL É O FLUXO DE CAIXA DE SUA EMPRESA? VOCÊ SABE FAZER A PREVISÃO DE CAIXA? 11

"A primeira regra de investimento é não perca dinheiro; a segunda regra é não esquecer a primeira."

Warren Buffet, investidor

FLUXO DE CAIXA

FLUXO DE CAIXA É UMA PREVISÃO DAS ENTRADAS E SAÍDAS FINANCEIRAS EM UM PERÍODO DE TEMPO DETERMINADO, QUE PERMITE O SEU CONFRONTO COM AS OPERAÇÕES REALIZADAS, PARA IDENTIFICAR POSSÍVEIS DISTORÇÕES.

Uma das dificuldades mais comuns na gerência da empresa é o controle financeiro. E a área financeira é estratégica em qualquer organização. Uma ferramenta que facilita esse trabalho é o fluxo de caixa, pois possibilita a visualização e compreensão das movimentações financeiras num período preestabelecido.

O fluxo de caixa é um instrumento gerencial que controla e informa todas as movimentações financeiras (entradas e saídas de valores) de um dado período – pode ser diário, semanal, mensal etc. Compõe-se dos dados obtidos dos controles de contas a pagar, contas a receber, de vendas, de despesas, de saldos de aplicações, e de todos os demais elementos que representem as movimentações de recursos financeiros da empresa.

A sua grande utilidade é possibilitar a identificação das sobras e faltas no caixa, permitindo à empresa planejar melhor suas ações futuras ou acompanhar o seu desempenho.

O recomendável, em uma empresa, é que o período de acompanhamento seja diário, entretanto, dependendo da movimentação financeira, poderá utilizar períodos mais longos – semanal, quinzenal e até mensal. Em períodos menores, o acompanhamento é mais eficiente, possibilitando o ajuste das finanças em caso de contingências, mas, por outro lado, requer maior esforço no acompanhamento.

De uma forma ou de outra, um controle de fluxo de caixa bem feito é uma grande ferramenta para lidar com situações de alto custo de crédito, taxas de juros elevadas, redução do faturamento e outros fantasmas que rondam os empreendimentos.

A manutenção do controle do fluxo de caixa na empresa apresenta as seguintes vantagens:

→ Planejar e controlar as entradas e saídas de caixa num período de tempo determinado.

→ Avaliar se as vendas presentes serão suficientes para cobrir os desembolsos futuros já identificados.

→ Auxiliar o empresário a tomar decisões antecipadas sobre a falta ou sobra de dinheiro na empresa.

→ Verificar se a empresa está trabalhando com aperto ou folga financeira no período avaliado.

→ Verificar se os recursos financeiros próprios são suficientes para tocar o negócio em determinado período ou se há necessidade de buscar recursos com terceiros.

→ Avaliar se o recebimento das vendas é suficiente para cobrir os gastos assumidos e previstos no período.

→ Verificar a necessidade de realizar promoções e liquidações, reduzir ou aumentar preços objetivando o ingresso de recursos na empresa.

→ Avaliar a capacidade de pagamentos antes de assumir compromissos.

→ Antecipar as decisões sobre como lidar com sobras ou faltas de caixa.

A implementação do relatório do fluxo de caixa é uma tarefa sem grandes complexidades, entretanto, cabe lembrar que a manutenção de um fluxo de caixa requer que os dados sejam confiáveis e constantemente atualizados, pois somente assim terá utilidade. Desta forma, é importante manter um bom controle de contas a receber, contas a pagar, caixa, saldo de aplicações financeiras, faturamento, vendas à vista e a prazo, enfim, um controle efetivo das finanças da empresa.

Agora que já conhecemos o que é um fluxo de caixa, vamos ver seu funcionamento na prática, e, para tanto, vamos utilizar a planilha a seguir. Na primeira coluna apresentamos os itens que representam as entradas e as saídas de recursos da empresa, nas colunas seguintes apresentamos a movimentação efetuada em dois dias. Notem que existem duas colunas para cada dia, uma para os valores previstos e outra para os realizados; a segunda coluna referente aos valores realizados do dia somente será concluída no final de cada dia transcorrido.

ENTRADAS	DIA 1		DIA 2	
	previsto	realizado	previsto	realizado
Vendas à vista	R$700,00	RS650,00	R$750,00	R$650,00
Duplicatas	R$250,00	R$210,00	R$320,00	R$120,00
Cheque pré	R$300,00	R$ 250,00		
TOTAL	R$1.250,00	R$1.110,00	R$1.070,00	R$770,00
SAÍDAS	previsto	realizado	previsto	realizado
Fornecedores	R$200,00	R$200,00		
Aluguel			R$750,00	R$750,00
TOTAL	R$200,00	R$200,00	R$750,00	R$750,00

ENTRADAS	DIA 3		DIA 4	
	previsto	realizado	previsto	realizado
Vendas à vista	R$800,00	RS800,00	R$750,00	R$650,00
Duplicatas	R$380,00	R$380,00	R$320,00	R$120,00
Cheque pré	R$250,00	R$150,00	R$120,00	R$120,00
TOTAL	R$1.430,00	R$1.380,00	R$1.200,00	R$1.120,00
SAÍDAS	previsto	realizado	previsto	realizado
Fornecedores			R$2.300,00	R$2.300,00
Aluguel			R$750,00	R$750,00
TOTAL			R$3.050,00	R$3.050,00

Como pode ser observado, não existe nada de complexo na planilha, embora a obtenção dos dados possa ser uma tarefa trabalhosa, pois exige outros controles adicionais. Agora que já temos um fluxo de caixa pronto, podemos fazer algumas análises sobre a movimentação financeira apresentada na planilha. Assim, identificamos algumas situações que merecem atenção:

A) Os valores previstos para vendas à vista não foram realizados, isto é, as vendas à vista foram em valor menor do que o previsto;

B) Apenas no dia 3 a empresa recebeu o valor total das duplicatas previsto, nos demais dias, os valores recebidos foram inferiores aos previstos;

c) No dia 4 houve um desembolso não previsto, para manutenção de veículos, no valor de R$250,00;

D) O pró-labore de R$1.800,00 previsto foi pago no próprio dia 3. A empresa poderia ter efetuado esse pagamento em outro dia ou até mesmo sob a forma de valor menor, haja vista que nos dias seguintes estava prevista uma saída expressiva de recursos para pagamento de fornecedores, empréstimos, folha de pagamento e impostos. Tal falta de recursos culminou com o não pagamento de impostos que estavam previstos para o dia 5, penalizando a empresa, pois o pagamento fora do prazo está sujeito a multa e juros.

A falta de recursos implica a revisão das estratégias da empresa, devendo, entre outros, observar os seguintes aspectos: renegociar com fornecedores o pagamento das obrigações; revisar o sistema de cobrança; fazer uma promoção das mercadorias; trabalhar com estoques mínimos; reduzir os prazos nas vendas a prazo; programar melhor as compras; vender bens e equipamentos ociosos.

No caso de haver sobra de recursos, a empresa poderá aplicá-la de forma planejada em: estoques; mercado financeiro; antecipar o pagamento de obrigações mediante desconto financeiro; ativo imobilizado; entre outras opções. É importante ressaltar que a sobra de caixa pode ser momentânea, ocorrendo por alguns dias, e logo em seguida tal sobra ser utilizada para quitar os compromissos. Assim, é fundamental fazer uma análise da situação da empresa no curto, médio e longo prazos, para que ela não seja descapitalizada e passe a depender de recursos de terceiros.

As informações apresentadas no fluxo de caixa revelam a diferença entre previsto e realizado, e com essas informações você possui melhores condições para administrar a empresa. Sem um controle financeiro eficiente é mais difícil atingir os resultados planejados.

Lembre-se que implementar e sobretudo manter um fluxo de caixa eficiente exige disciplina, inclusive com a manutenção de outros controles financeiros, como contas a receber, contas a pagar, estoques etc. É melhor saber com antecedência e precisão sobre a situação financeira da empresa, do que ser apanhado de surpresa com uma situação desfavorável.

Fonte: http://www.sebrae.com.br/uf/goias/para-minha-empresa/
controles-gerenciais/fluxo-de-caixa

COMO AVALIAR OS RESULTADOS ECONÔMICO-FINANCEIROS DE SUA EMPRESA? 12

"No mundo dos negócios nunca se obtém aquilo que se quer, mas sim aquilo que se negocia."

Chester Karrass

ANÁLISE FINANCEIRA

A análise econômico-financeira envolve o conceito econômico e o financeiro.

O econômico refere-se à modificação no patrimônio para mais, quando ocorrer lucro, e para menos, quando ocorrer prejuízo.

O financeiro refere-se apenas à movimentação de valores. Relaciona direitos e obrigações. Refere-se à liquidez: por exemplo, disponível em caixa e débito de clientes em relação aos compromissos a pagar.

Uma transação normal de venda contém os dois elementos, tanto o econômico quanto o financeiro. Para a análise econômico-financeira são necessários dados levantados a partir do Balanço Patrimonial, do Controle de Caixa e do Controle de Estoques.

DADOS ECONÔMICOS E FINANCEIROS

Os principais dados para análise econômico-financeira são:

DESPESA MÉDIA MENSAL

É encontrada mediante a soma das despesas mensais dos últimos meses, geralmente 12, divididas pelo número de meses.

$$\text{Despesa Média Mensal} = \frac{\text{soma das despesas mensais}}{\text{n}^\circ \text{ de meses}}$$

Uma empresa teve nos últimos 12 meses um total de R$360 mil de despesas. Para conhecer a despesa média mensal, basta dividir aquele valor por 12.

$$\text{Despesa Média Mensal} = \frac{\text{R\$ 360.000}}{12} = \text{R\$30.000}$$

RECEITA MÉDIA MENSAL

É encontrada a partir da soma das receitas de vendas e outras receitas não operacionais do período, dividida pelo número de meses, geralmente 12.

$$\text{Receita Média Mensal} = \frac{\text{soma das receitas (vendas + não operacionais)}}{12}$$

Uma empresa teve uma soma de receitas de vendas e de outras receitas, nos últimos 12 meses, de R$168 mil. Dividindo-se esse valor por 12, teremos a receita média mensal.

ATIVO CIRCULANTE

É encontrado pela soma do disponível (caixa e banco) e do realizável a curto prazo (contas a receber, aluguéis a receber, duplicatas a receber, créditos diversos e estoque atual).

> **Ativo Circulante = Disponível + Realizável a Curto Prazo**

O ativo circulante de uma empresa com um disponível atual de R$120 mil e um realizável a curto prazo de R$150 mil poderá ser encontrado com a soma de tais valores.

> **Ativo Circulante = R$120 mil + R$150 mil = R$270 mil**

ATIVO REALIZÁVEL A LONGO PRAZO

É encontrado pela soma de títulos diversos, contas a receber, débitos de diretores e acionistas e outros valores a receber realizáveis a partir de 360 dias.

Se uma empresa tem para receber, a partir de 360 dias, R$200 mil, é esse o seu ativo realizável a longo prazo.

ATIVO PERMANENTE / ATIVO NÃO CIRCULANTE

É encontrado pela soma do imobilizado e dos investimentos.

> **Ativo Permanente = Imobilizado + Investimentos**

Em uma empresa que tenha R$400 mil de imobilizado e cujos investimentos sejam de R$200 mil, o ativo permanente é igual a R$600 mil.

PASSIVO CIRCULANTE

É encontrado pela soma de fornecedores, duplicatas a pagar, ordenados a pagar, impostos a pagar, encargos sociais, empréstimos a curto prazo, dividendos a pagar, contribuição social a recolher e credores diversos. Se esses elementos somam R$150 mil, esse é também o valor do passivo circulante.

PASSIVO EXIGÍVEL A LONGO PRAZO

É a soma das obrigações exigíveis (como crédito de acionistas, financiamentos, contas a pagar e títulos a pagar) a partir de 360 dias.

Uma empresa que tenha que pagar, a partir de 360 dias, R$150 mil, tem tal valor como seu passivo exigível a longo prazo.

RESULTADO DE EXERCÍCIOS FUTUROS

É obtido através da soma das receitas antecipadas, cuja realização só será efetivada através de exercícios futuros, ou seja, a partir de 360 dias.

Se a receita antecipada da empresa é, por exemplo, de R$600 mil, isto representará os resultados de exercícios futuros.

PATRIMÔNIO LÍQUIDO

É encontrado através da soma do ativo circulante mais o ativo realizável a longo prazo e mais o ativo permanente. Em seguida, deve-se subtrair desse valor a soma do passivo circulante mais o passivo exigível a longo prazo e mais o resultado de exercícios futuros. Ou seja, bens e direitos menos obrigações é igual a patrimônio líquido.

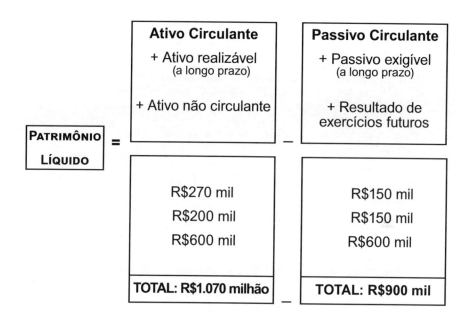

INDICADORES ECONÔMICO-FINANCEIROS

O balanço patrimonial é a demonstração contábil destinada a evidenciar, quantitativa e qualitativamente, numa determinada data, o patrimônio e a composição do patrimônio líquido da entidade.

Conforme determina o Artigo 178 da Lei Nº 6.404-76, "No balanço, as contas serão classificadas segundo os elementos do patrimônio que registrem, e agrupadas de modo a facilitar o conhecimento e a análise da situação financeira da companhia".

Essa demonstração deve ser estruturada de acordo com os preceitos da Lei Nº 6.404-76 e segundo os Princípios Fundamentais de Contabilidade e as Normas Brasileiras de Contabilidade.

De posse dos dados econômico-financeiros, faz-se a análise econômico-financeira da empresa utilizando os indicadores econômico-financeiros.

LUCRO BRUTO

É calculado a partir da diferença existente entre a receita média mensal e o custo mensal das mercadorias vendidas.

> **Lucro Bruto = Receita Média Mensal – Custo Mensal das Mercadorias**

Uma empresa que tenha uma receita média mensal de R$140 mil e o custo mensal das mercadorias vendidas de R$90 mil terá um lucro bruto de R$50 mil.

LUCRO LÍQUIDO
(INDICADOR ECONÔMICO)

É encontrado subtraindo-se do lucro bruto a despesa mensal.

> **Lucro Líquido = Lucro Bruto – Despesa Média Mensal**

Para a empresa com lucro bruto de R$50 mil e uma despesa média mensal de R$30 mil, o lucro líquido será de R$20 mil. Isto deverá aumentar o patrimônio. Por isso, o lucro líquido é um indicador econômico.

CAPITAL DE GIRO PRÓPRIO
(INDICADOR FINANCEIRO)

É encontrado subtraindo-se do ativo circulante o passivo circulante.

Capital de Giro Próprio = Ativo Circulante – Passivo Circulante

---

Uma empresa com R$ 270 mil de ativo circulante e R$150 mil de passivo circulante terá R$120 mil de capital de giro próprio. Este refere-se ao aspecto financeiro, isto é, valores com que a empresa conta para pagar seus compromissos operacionais.

ÍNDICE DE RENTABILIDADE
(INDICADOR ECONÔMICO)

É encontrado através da divisão do lucro líquido pelo patrimônio líquido. Dos indicadores econômicos privados, este é o mais significativo, pois sintetiza o desempenho da empresa em termos de resultado. Resume a avaliação de eficiência da gestão do patrimônio.

$$\text{Índice de Rentabilidade} = \frac{\text{Lucro Líquido}}{\text{Patrimônio Líquido}}$$

Com um lucro líquido de R$ 20 mil e um patrimônio líquido de R$170 mil, o índice de rentabilidade será:

$$\text{Índice de Rentabilidade } = \frac{\text{R\$20.000}}{\text{R\$170.000}} = 0,11$$

Multiplicando-se esse índice por 100, teremos o índice percentual de rentabilidade. No caso: 0,11 X 100 = 11%.

ÍNDICE DE LUCRATIVIDADE

É encontrado pela divisão do lucro líquido pela renda operacional líquida. Sua importância é relativa. Um baixo índice de lucratividade pode ser compensado por um grande volume de vendas e pela permanência continuada no mercado. Isto é, ganhar pouco em cada venda, mas vender muito e sempre.

$$\text{Índice de Rentabilidade } = \frac{\text{Lucro Líquido}}{\text{Renda Operacional Líquida}}$$

Com um lucro líquido de R$20 mil e uma renda operacional líquida mensal de R$140 mil, teremos como resultado o seguinte:

$$\text{Índice de Lucratividade } = \frac{\text{R\$270.000}}{\text{R\$140.000}} = 0,14$$

Multiplicando-se este índice por 100, teremos o índice percentual de lucratividade. No caso: 0,14 X 100 = 14%.

ÍNDICE DE LIQUIDEZ

É o resultado da divisão do ativo circulante pelo passivo circulante.

$$\text{Índice de Líquidez} = \frac{\text{Ativo Circulante}}{\text{Passivo Circulante}}$$

No exemplo dado, teremos:

$$\text{Índice de Lucratividade} = \frac{R\$270.000}{R\$150.000} = 1,8$$

Isto é, para cada real que a empresa tem a pagar em curto prazo, ela conta para realizar, também no curto prazo, com R\$1,8. É, portanto, um indicador financeiro.

Encontramos esses indicadores; subsequentemente, vamos encontrar os sintomas econômico-financeiros da empresa.

SINTOMAS ECONÔMICO-FINANCEIROS

Os mais comuns são:

→ Tendência da lucratividade – a queda, a estagnação ou o aumento inadequado da tendência de lucratividade;

→ Situação da rentabilidade – a baixa, a estagnação ou a alta situação da rentabilidade;

→ Tendência do valor real das vendas – a queda, a estagnação ou o aumento incompatível da tendência do valor real das vendas;

→ Situação da liquidez – a baixa ou a desproporcionalmente alta situação da liquidez.

Identificados os sintomas, procuram-se os problemas efetivos e suas causas. Para solucioná-los deve-se realizar a análise das causas dos sintomas.

ANÁLISE DAS CAUSAS DOS SINTOMAS

A análise das causas mostrará claramente quais são as raízes dos problemas que interferem no bom andamento da empresa. As causas de problemas empresariais podem ser de dois tipos:

ESTRATÉGICO

Esse tipo de causa de problemas corresponde à escolha inadequada das bases dos negócios ou da forma como são utilizados os recursos pela empresa. Localiza-se nas áreas diretivo-gerenciais, às quais estão afetadas as decisões estratégicas.

OPERACIONAL

Esse tipo de causa de problemas corresponde à insuficiência de recursos na execução das operações ou à forma, aos métodos e às técnicas com que são executadas as tarefas. Esses recursos podem ser: humanos, organizacionais, materiais ou financeiros.

Pela avaliação dos resultados econômico-financeiros o comerciante poderá definir as providências que se tornam necessárias, e, em função disso, reorientar o destino de sua empresa.

Existem ainda outros indicadores e instrumentos muito úteis, mas os que apresentamos são suficientes para os primeiros contatos do comerciante com a análise econômico-financeira.

GESTÃO FINANCEIRA

A gestão financeira é obrigatória para o sucesso de um empreendimento. Ela compreende um conjunto de ações administrativas com o objetivo de facilitar o planejamento e a execução das atividades da empresa. O objetivo é melhorar os resultados da empresa e aumentar o valor do seu patrimônio, por meio da geração contínua de lucro.

Uma correta administração financeira permite que os administradores visualizem a situação atual da empresa. Sem isso, ela corre o risco de enfrentar uma série de problemas de análise, de planejamento e de controle financeiro das suas atividades.

Os principais problemas são:

→ Não ter as informações corretas sobre saldo do caixa, valor dos estoques das mercadorias, valor das contas a receber e das contas a pagar, além do volume das despesas fixas e financeiras. Isso ocorre porque as operações não são registradas de maneira adequada;

→ Não saber se a empresa está tendo lucro ou prejuízo, porque não há um demonstrativo de resultados;

→ Não calcular corretamente o preço de venda, porque a empresa não avalia exatamente os custos e as despesas;

→ Não conhecer o volume e a origem dos valores a receber, nem o volume e o destino dos pagamentos, porque não há um fluxo de caixa;

→ Não saber o valor patrimonial da empresa, porque não se faz o balanço patrimonial;

→ Não saber quanto os sócios retiram de pró-labore, porque não há um valor fixo estabelecido para sua remuneração;

→ Não administrar corretamente o capital de giro da empresa, porque não há controle do ciclo financeiro das operações (entrada e saída de dinheiro);

→ Não fazer análise e planejamento financeiro da empresa, porque não existe um sistema de informações gerenciais (fluxo de caixa, demonstrativo de resultados e balanço patrimonial).

As empresas começam pequenas e, à medida que crescem, a administração financeira não consegue acompanhar esse ritmo. Isso se deve à falta de conhecimento na área de gestão e ao excesso de envolvimento na produção.

As principais funções da administração financeira são:

→ Analisar os resultados financeiros e planejar ações adequadas para melhorá-los;

→ Utilizar bem o dinheiro: analisar e negociar a captação dos recursos necessários, além da aplicação do dinheiro já disponível;

→ Analisar a concessão de crédito aos clientes e administrar a cobrança dos créditos concedidos;

→ Controlar o caixa: efetuar os recebimentos e os pagamentos, controlando o saldo de caixa;

→ Controlar as contas a receber (aquelas relativas às vendas a prazo) e as contas a pagar (relativas às compras a prazo, aos impostos e às despesas operacionais).

Em resumo, pode-se dizer que as primeiras providências que o empreendedor deve tomar em relação às finanças são:

→ Organizar os registros e verificar se todos os documentos estão sendo devidamente controlados;

→ Acompanhar as contas a pagar e as contas a receber, montando um fluxo de pagamentos e recebimentos;

→ Controlar o movimento de caixa e acompanhar os controles bancários;

→ Classificar custos e despesas em fixos e variáveis;

→ Definir a retirada dos sócios;

→ Fazer previsão de vendas e de fluxo de caixa;

→ Acompanhar a evolução do patrimônio da empresa, conhecer sua lucratividade e rentabilidade.

CUSTOS E A FORMAÇÃO DE PREÇOS NA PEQUENA EMPRESA 13

"As companhias prestam muita atenção ao custo de fazer alguma coisa. Deviam preocupar-se mais com os custos de não fazer nada."

Philip Kotler

CUSTOS

Gerenciar bem a partir da análise de custos permite à empresa alcançar os lucros projetados.

A análise de custos de uma empresa é fundamental para que ela alcance os lucros projetados. Seu cálculo envolve todos os custos de produção (que são diretos, indiretos, fixos e variáveis), bem como as perdas, gastos, despesas e desperdícios.

Você já parou para pensar qual a escala produtiva mais eficiente para a sua empresa? Levou em consideração o tamanho dela e o conjunto de produtos apresentados ao final, em termos de rentabilidade? Esses são alguns elementos importantes para a realização de uma análise de custos, cada vez mais necessária para uma boa gestão.

Ser capaz de dominar os custos dos produtos que fabrica é o sonho de todo empresário. Contudo, nas micro e pequenas empresas, muitas vezes os gestores desconhecem ou se apropriam de forma inadequada dos elementos que compõem seus custos, deixando a empresa suscetível a riscos maiores.

Para que haja um equilíbrio, é fundamental que se estabeleça um controle a partir de registros na estrutura dos produtos ou ficha técnica, roteiros de fabricação atualizados e conhecimento dos tempos das operações. Além disso, é preciso monitorar esses custos para alcançar os lucros projetados, mantendo os preços de venda determinados pelo mercado.

A LÓGICA DOS CUSTOS

A evolução dos mercados exige que os custos sejam administrados. O primeiro passo é calcular os custos de produção, para depois realizar o controle (medição) e, finalmente, poder gerenciar seus custos.

A má gestão dos custos pode levar a um processo complicado. No curto prazo, quando as margens reduzem, aplicam-se aumento nos preços, o que acarreta queda nas vendas e aumento de custos.

O controle de custos parte de categorias. Entre as classificações mais usuais, estão os custos diretos e indiretos, que consideram a facilidade de atribuição do custo ao produto, e os custos fixos e variáveis, que consideram a variação da quantidade produzida.

Os custos indiretos são gastos que não estão ligados diretamente aos produtos. Já os custos fixos são gastos com elementos que usualmente não adicionam valor ao produto, mas sem os quais não se pode produzir nada.

A partir da relação do volume de produção com os custos, você poderá fazer a classificação para separar os custos fixos (que permanecem no mesmo patamar, independentemente do nível de atividades da empresa) e os custos variáveis (que acompanham o ritmo de produção).

É importante ressaltar a diferença entre custos e gastos.

CUSTOS

O conceito de custos refere-se ao valor dos insumos usados na fabricação dos produtos da empresa.

GASTOS

Já o conceito de gastos diz respeito ao valor dos insumos adquiridos pela empresa. Não compreender o conceito de gastos pode gerar ações com resultado negativo em relação aos custos de produção.

Também é importante conhecer as diferenças entre custo e despesa.

DESPESA

Valor gasto com bens e serviços relativos à manutenção da atividade da empresa, bem como aos esforços para a obtenção de receitas através da venda dos produtos. Exemplos: materiais de escritório, salários da administração.

Por fim, é importante distinguir "perdas" de "desperdícios".

PERDAS

Referem-se ao valor dos bens e serviços consumidos de forma anormal e involuntária.

DESPERDÍCIOS

Indicam o valor dos insumos utilizados de forma não eficiente (perdas normais anormais).

Perdas e desperdícios são ocorrências que estão sob responsabilidade da gestão da produção; convém que haja ações específicas planejadas, controladas e mantidas para sua redução.

COMO CALCULAR OS CUSTOS DE PRODUÇÃO

1. Parte direta

Devem ser lançados todos os gastos com aquisição das matérias-primas utilizadas na fabricação – os chamados custos de matérias-primas, mais os custos das horas de trabalho ou custos de mão de obra. A soma desses dois custos é denominada custos diretos de fabricação (ou produção).

> **Custos Diretos de Fabricação = Custos das Matérias-Primas + Custos de Mão de Obra Direta**

2. Parte indireta

É formada por elementos que participam indiretamente da fabricação do produto, como:

→ Aluguel;

→ Depreciação;

→ Gás;

→ Energia elétrica etc.

Esses itens são tecnicamente conhecidos por gastos gerais de fabricação.

Os custos indiretos de fabricação (ou produção) precisam ser calculados com base em algumas regras, para que sejam adequadamente atribuídos a cada produto.

Por exemplo: o aluguel pode ser indispensável para que um negócio possa exercer suas atividades, mas não está ligado diretamente a um produto ou outro. Por isso, seu valor deve ser distribuído entre todos os produtos que foram produzidos num determinado período.

A distribuição proporcional que se faz para atribuir aos produtos o valor dos custos indiretos de fabricação (ou produção) denomina-se rateio.

Portanto, os custos de produção são assim representados:

> **Custos de Produção (CP) = Matéria-Prima (MP) + Mão de Obra Direta (MOD) + Gastos Gerais de Fabricação (GGF)**

FORMAÇÃO DE PREÇOS
Questões Básicas na definição de preços

→ Qual a relação entre os preços básicos alternativos e a estrutura de custos?

→ Qual a sensibilidade do mercado às diversas alternativas de preços da empresa?

→ Qual o efeito dos preços a serem praticados pela empresa em relação à imagem do produto e da empresa em comparação aos concorrentes?

SITUAÇÕES EM QUE AS DECISÕES DE PREÇOS SÃO DA MAIOR IMPORTÂNCIA

→ Quando a empresa tem que estabelecer o preço pela primeira vez.

→ Quando as circunstâncias levam a empresa a considerar as possibilidades de alterar os preços.

→ Quando a concorrência inicia alterações de preços.

→ Quando a empresa elabora produtos com demandas e/ou custos inter-relacionados.

OBJETIVOS NA FIXAÇÃO DO PREÇO

→ Penetração no mercado: a empresa estabelece o preço com o intuito de conseguir grande participação no mercado.

→ Selecionar o mercado: a empresa estabelece o preço visando atingir segmentos específicos do mercado.

→ Pronta recuperação de caixa: geralmente empresas em dificuldades financeiras estabelecem preços que permitem o rápido retorno de caixa.

→ Promover linha de produtos: neste caso, o preço é usado com o intuito de promover a venda de todos os produtos da linha.

→ Maximizar o lucro: o preço é estabelecido tendo em vista a maximização do retorno para a empresa.

→ Eliminar a concorrência: o preço estabelecido tem o propósito da eliminação da concorrência, havendo, em alguns casos, o uso ou prática do *dumping* (exportação por preço inferior ao vigente no mercado interno para conquistar mercados ou dar vazão a excesso de oferta; ou venda por preço abaixo do custo para afastar concorrentes).

DETERMINAÇÃO DO PREÇO DE VENDA

Estabelecer preços de venda competitivos é uma tarefa que exige do empresário o conhecimento dos componentes que dão origem ao preço de venda.

A definição da estrutura de custos é parcela importante nesse processo, uma vez que possibilitará ao administrador saber quanto lucrou.

Muitas empresas não apuram seus custos e despesas de maneira precisa, e os preços de venda são obtidos empiricamente. Essa prática mascara os custos e o lucro da empresa, acarretando diversos problemas, tais como:

→ Preço de venda abaixo do real, o que diminui os lucros da empresa.

→ Preço de venda acima do real, o que dificulta as vendas.

→ Fabricação de produtos que dão pouco lucro em detrimento de outros mais rentáveis, ocasionada por má alocação dos recursos.

→ Esforço de venda não orientado para produtos mais lucrativos.

→ Dificuldades para identificar e fixar ações para redução de custos e despesas, o que poderá levar a empresa a operar com custos e despesas mais altos do que deveria.

Como consequência de um ou mais desses problemas, a empresa terá lucro e rentabilidade menores, o que se constitui uma ameaça ao seu crescimento e até à sua própria estabilidade econômico-financeira.

Para auxiliar o empresário na determinação dos preços de seus produtos, veja a seguir um roteiro básico de cálculo na empresa prestadora de serviços, que deverá ser preenchido com a ajuda de seu contador.

Entretanto, é preciso ter em mente que, numa economia de mercado, quem define o preço de venda é o mercado.

SERVIÇOS/PRODUTOS
(Instruções para uso de planilha)

→ Serviço

Discriminar o serviço a que se referem os dados da planilha. O empresário deverá preencher uma planilha para cada serviço que presta.

→ Nota

O total das horas disponibilizadas da mão de obra deverá ser rateado entre os vários serviços.

→ Data

Preencher com a data da elaboração da planilha, sendo esta importante como referencial para o empresário no momento da realização de outro levantamento de dados, com vistas à atualização dos mesmos.

→ Custo da Mão de Obra

O próximo passo é calcular a mão de obra direta que a empresa tem disponível para realizar seus vários serviços.

→ Função

Nomenclatura das funções dos empregados.

→ Quantidade

Informar a quantidade de empregados em cada função.

→ Salário

Informar o valor do salário pago ao empregado / mês.

→ Encargos

Informar o percentual dos encargos sociais que incidem sobre os salários dos empregados.

→ Subtotal dos salários mais encargos
Calculado.

→ Horas trabalhadas por empregado/mês
Informar.

→ Horas disponíveis/mês

Calculado. Quantidade de empregados x quantidade hora/empregado/mês.

→ Custo serviço por hora

Calculado. Valor total dos salários mais encargos dividido por total das horas disponíveis.

→ Tempo gasto para realizar o serviço

Informar o tempo real gasto para executar os serviços. Por exemplo: caso o tempo da prestação do serviço seja de 50 minutos, o valor da mão de obra poderá ser obtido através de regra de três simples:

$$\frac{\text{Valor de 60 minutos de serviço}}{60} \times 50 = \text{Valor da mão de obra}$$

OBS. Deverão ser considerados apenas os funcionários responsáveis pela execução dos serviços.

DESPESAS FIXAS

O próximo passo é determinar as despesas fixas e despesas administrativas da empresa, conforme tabela, podendo ser usados como base os valores efetivamente pagos no mês anterior.

→ *Rateio das despesas fixas*
Calculado. Obtido pela divisão do total das despesas fixas pelo total de horas disponíveis no mês.

→ *Despesas fixas do serviço*
Calculado. Rateio das despesas fixas multiplicado pelo tempo gasto no serviço.

→ *Custo total da mão de obra*
Calculado. Igual ao custo da mão de obra + rateio das despesas fixas.

DESPESAS DE COMERCIALIZAÇÃO E LUCRO

Preencher com os valores aplicáveis. Se, ao final do cálculo do preço de venda, for obtido valor muito superior ao praticado pela concorrência, é aconselhável rever o percentual desejado de lucro.

→ *Preço do serviço*
Calculado.

CUSTO DO MATERIAL APLICADO

Ao realizar o serviço, determinadas empresas utilizam-se de materiais que deverão ser destacados das despesas gerais, se o seu valor, em relação ao preço do serviço, for considerado relevante. São, na maioria dos casos, peças de reposição.

Preencher com a descrição, unidade, quantidade referentes a cada material utilizado na prestação do serviço.

→ **Preço**
Informar o valor calculado de acordo com a formação de preço para o comércio, por unidade, ou seja, por kg, m, m^2, m^3.

→ **Preço final do serviço**
Calculado. É obtido a partir da soma do preço do serviço mais o valor referente aos gastos com material utilizado para realizá-lo.

INDÚSTRIA
(Instruções para uso de planilha)

→ Discriminar o produto a que se referem os dados da planilha. O empresário deverá preencher uma planilha para cada produto que industrializa.

→ Preencher com a data da elaboração da planilha, sendo a mesma importante como referencial para o empresário no momento da realização de outro levantamento de dados, com vistas à atualização dos mesmos.

→ Descrever as principais matérias-primas utilizadas na fabricação do produto.

→ Descrever a unidade de medida referente a cada matéria-prima. Exemplos: m, l, t, m², m³.

→ Preencher com a quantidade de cada matéria-prima utilizada no processo de produção.

→ Preencher com o valor referente ao preço pago pela matéria-prima por unidade, ou seja, por kg, m, m², m³.

→ Para determinar o custo do material empregado é necessária a exclusão do valor referente ao ICMS destacado na compra.

MÃO DE OBRA

A mão de obra será computada de maneira diferente, de acordo com a opção escolhida para cálculo do preço de venda pela empresa. Portanto, os conceitos abaixo deverão ser aplicáveis onde cabíveis:

A) É necessário fazer um resumo da folha de pagamento mensal dos funcionários diretamente ligados à produção, conhecer a quantidade de horas trabalhadas por mês e os encargos sociais incidentes sobre a folha de pagamento.

B) As despesas com pessoal, encargos sociais e retiradas pró--labore podem ser obtidas das folhas de pagamento. É bom atentar para o pagamento de horas extras e qualquer outro tipo de pagamento a pessoal que não entrar em folha, a fim de que possam constar do levantamento dos custos.

Para determinar o valor da mão de obra direta aplicada na produção, é necessário levantamento das seguintes informações:

1) Jornada de trabalho do mês = n° horas. Levantar o número de horas efetivamente trabalhadas por um funcionário da produção, considerando intervalos e horas de ociosidade dos equipamentos.

2) Número de funcionários = n°. Refere-se ao número de funcionários alocados na produção.

3) Valor da folha de pagamento mensal = R\$. Refere-se à remuneração mensal paga ao pessoal da produção.

4) Encargos sociais sobre a folha de pagamento mensal = R\$.

→ *Custo da mão de obra = R\$*
Resulta da soma do valor da folha com os encargos sociais.

→ *Horas trabalhadas por mês = n° horas*
Refere-se ao número mensal de horas trabalhadas na produção, o, que é resultado da multiplicação da jornada de trabalho/mês pelo número de funcionários.

→ *Custo/hora da mão de obra direta = R\$*
Resulta da divisão do valor total da folha de pagamento + encargos sociais, pelo número de horas trabalhadas na produção.

→ *Tempo gasto de produção*
Definido o valor do custo/hora de produção, o próximo passo

é determinar o tempo gasto na fabricação de uma unidade do produto em questão.

→ *Custo total da mão de obra direta*

Este valor é calculado multiplicando-se o custo / hora da mão de obra direta pelo tempo gasto na fabricação do produto. Por exemplo: caso o tempo de produção de uma peça seja de 10 minutos, o valor da mão de obra poderá ser obtido através de regra de três simples:

$$\frac{\text{Valor de 60 minutos de serviço}}{60} \times 10 = \text{Custo da mão de obra}$$

→ *Custos (%) incidentes sobre as vendas*

Recomendamos que sejam preenchidos com orientação do contador.

COMO CALCULAR O CAPITAL NECESSÁRIO PARA INICIAR UM PEQUENO NEGÓCIO? 14

"Para ter um negócio de sucesso, alguém, algum dia, teve que tomar uma atitude de coragem."

Peter Drucker

QUAL O VALOR DE IMOBILIZADO NECESSÁRIO?

Para abrir um pequeno negócio é necessário ter em conta algumas coisas importantes, como conhecer um pouco sobre a vida de uma empresa:

→ Saber da viabilidade de uma empresa no mercado onde pretende operar;

→ Saber calcular as necessidades de capital, a fim de não ser surpreendido no meio do caminho pela falta de dinheiro;

→ Munir-se de dados para conhecer os riscos desse novo empreendimento.

O imobilizado é o dinheiro a ser aplicado na instalação de uma empresa.

Para abrir um negócio, o empresário que não tenha prédio próprio terá que alugar um salão e pagar um valor a título de "luvas" pelo ponto de comércio. Esse valor fará parte do imobilizado. Além disso, terá que realizar reformas para adaptar o local ao seu ramo de negócio, como: fachada, letreiros, vitrines, balcões, armários, pintura, forrações, instalações elétricas e outras coisas que também farão parte do imobilizado.

Através de um orçamento prévio será possível obter uma estimativa adequada desses gastos, pois todas as informações podem ser obtidas no mercado, partindo-se do pressuposto de que o comerciante tem ideia do tamanho da empresa que quer abrir.

Suponhamos que a soma desses gastos chegue a R$150 mil. Está aí o valor do seu imobilizado.

Os valores das despesas serão altos?

As despesas são divididas em dois tipos: fixas e variáveis.

DESPESAS VARIÁVEIS

Para calcular as despesas variáveis será necessário também ter conhecimento da margem bruta que resultará da venda das mercadorias. Para facilitar o estudo, o custo das mercadorias será considerado como sendo uma despesa.

VENDAS	100%
Custo das mercadorias	58%
Comissões de vendedores e encargos	3%
ICMS (19%) – Crédito das compras = (12%)	7%
Diversos	2%
DESPESAS VARIÁVEIS	**70%**
Vendas	100%
Despesas variáveis	70%
LUCRO BRUTO	**30%**

Este quadro significa que em cada R$100,00 de venda teremos uma despesa de R$70,00. Portanto, a despesa variável sobre a venda é de 70%. Com esse número, a partir de previsão de vendas, pode-se calcular o total das despesas variáveis.

DESPESAS FIXAS

Pelos cálculos destas despesas, é possível montar o quadro abaixo. Esse quadro não inclui os honorários do dono, pois, durante o primeiro ano, ele deverá fazer apenas retiradas a título de pró-labore. Assim, independentemente do volume de vendas, a empresa terá, no primeiro ano, R$24.150,00 de despesas fixas.

Pessoal e encargos pessoais	R$4.500,00
Aluguel	R$11.250,00
Luz, água, telefone, e internet	R$2.250,00
Contador e despachante	R$2.250,00
Materiais de escritório	R$900,00
Condução e correio	R$375,00
Depreciação	R$1.500,00
Outras despesas	R$1.125,00
TOTAL	**R$24.150,00**

Qual o volume mínimo de vendas?

Esse volume mínimo é determinado pelo ponto de equilíbrio, ou seja, o volume de vendas anual em que não há prejuízo e nem lucro.

O ponto de equilíbrio, na fase de implantação, pode ser encontrado multiplicando-se as despesas fixas por 100 e dividindo-as pela porcentagem do lucro bruto.

$$\text{Ponto de Equilíbrio} = \frac{\text{Despesas Fixas X 100}}{\%\ \text{Lucro Bruto}}$$

Aplicando-se os dados do exemplo, temos:

$$\text{Ponto de Equilíbrio} = \frac{\text{R\$24.150 X 100}}{30} = \text{R\$ 80.500,00}$$

Aqui estamos chamando de lucro bruto ou margem bruta a margem de contribuição, que é representada pela soma do lucro mais os custos fixos ou despesas fixas. Por esse cálculo sabemos que, operando nas condições previstas, a empresa precisa atingir um volume mínimo de vendas anual de R$80.500,00 para não ter prejuízo.

Nosso conselho a quem vai lidar com isso pela primeira vez é que, além de seguir as instruções apresentadas, converse muito com amigos que já trabalhem no ramo. Deve-se buscar operar com um ponto de equilíbrio baixo, para não depender de vendas muito altas nos primeiros anos; é bom, pois, reservar um capital adicional para suportar dificuldades iniciais.

Dará lucro operacional?

Lucro operacional é todo resultado que direta ou indiretamente está relacionado com a atividade da empresa. O lucro ou prejuízo operacional é dado com base na fórmula: lucro bruto - despesas operacionais + receitas operacionais = lucro/prejuizo operacional.

Será considerado como lucro operacional o resultado das atividades, principais ou acessórias, que constituam objeto da pessoa jurídica.

É fácil calcular o lucro operacional da empresa no primeiro ano de existência. Vejamos o seguinte exemplo:

Lucro Bruto (30%) = Venda Anual (100%) – Despesas Variáveis (70%)

Lucro bruto = R$157.500 – R$110.250
Lucro bruto = R$47.250,00

Lucro Operacional = Lucro Bruto – Despesas

Lucro operacional = R$47.250,00 – R$24.150
Lucro operacional = R$23.100,00

Assim, estime sua venda anual e daí poderá prever seu lucro operacional com o percentual da margem de lucro bruto.

Qual será o investimento com os estoques?

É importante saber qual o estoque médio necessário para o funcionamento da empresa.

Vamos, primeiramente, definir a expressão "rotação de estoques": é o número de vezes que a empresa vende o estoque médio por ano. Quanto maior a rotação de estoques, menor será sua necessidade de dinheiro para adquirir mercadorias.

É importante saber qual é a rotação de estoques dos comerciantes do mesmo ramo e incluir essa rotação no seu planejamento, pois costumam ser rotações parecidas.

Admite-se que o comerciante faz suas compras de três em três meses; a rotação de estoques, assim, será de quatro vezes ao ano.

Com base nessa rotação de estoques e considerando os valores anteriores, pode-se calcular a importância necessária para adquirir as mercadorias. Sendo a venda prevista de R$157.500,00 ao ano e o custo da mercadoria vendida de 59%, então, teremos a quantia de R$92.925,00. Dividindo esse valor pela rotação de estoques, teremos o estoque médio necessário.

$$\text{Estoque Médio} = \frac{\text{Custo da Mercadoria Vendida}}{\text{Rotação de Estoques}}$$

$$\text{Estoque Médio} = \frac{R\$92.925}{4} = R\$23.231,25$$

Conhecido o estoque necessário (R$23.231,25), a rotação dos estoques (4), a troca do estoque a cada 90 dias e o prazo (60 dias) dado pelos fornecedores para pagamento, calcula-se primeiro o financiamento de fornecedores.

$$\text{Financiamento de Fornecedores } = \frac{\text{Estoque Médio X Prazo de Compras}}{\text{Tempo de Rotação}}$$

$$\text{Financiamento de Fornecedores } = \frac{\text{R\$23.231,25 X 60}}{90} = \text{R\$15.487,50}$$

Sendo o estoque médio de R$23.231,25 e o financiamento dos fornecedores R$15.487,50, o investimento com estoques é encontrado pela diferença:

$$\text{Investimento em Estoques} =$$
$$\text{Estoque Médio} - \text{Financiamento de Fornecedores}$$

$$\text{Investimento em Estoques} =$$
$$\text{R\$23.231,25} - \text{R\$15.487,50} = \text{R\$7.743,75}$$

As compras terão prazo alto?

Os prazos concedidos pelos fornecedores variam de acordo com o ramo do negócio. Quanto maiores forem os prazos, menor será a necessidade de dinheiro para investimentos em mercadorias.

O prazo médio das compras pode ser calculado:

→ Multiplicando-se cada parcela do pagamento pelo prazo respectivo, chegando-se a valores chamados "números";

→ Somando-se todas as parcelas de pagamento e depois todos os números;

→ Dividindo-se o total dos números pelo total das parcelas.

Exemplo: Sendo o valor das compras de R$562,50 em três pagamentos iguais, com vencimentos em 30, 60 e 90 dias, o prazo médio será:

Valor das parcelas	Prazos	Números
R$187,50	30 dias	5.625
R$187,50	60 dias	11.250
R$187,50	90 dias	16.875
R$562,50	TOTAIS	33.750

$$\text{Prazo Médio de Compras} = \frac{\text{Soma dos Números}}{\text{Soma das Parcelas}} = \frac{33.750}{R\$562,50} = 60$$

Prazo médio das compras é de 60 dias.

Deve-se vender a prazo?

Para saber se nos é conveniente vender a prazo, necessitamos calcular os recursos para o financiamento do crediário, ou seja, prever o montante médio das contas a receber. Para calcular o prazo médio de uma venda, utilizar o mesmo sistema adotado no item anterior, ou seja:

PAGAMENTO/DATA	VALOR DO CRÉDITO	Nº DIAS	NÚMEROS
Entrada 05/01/XX	R$750,00	0	0
1º 05/02/XX	R$750,00	30	22.500
2º 05/03/XX	R$750,00	60	45.000
3º 05/04/XX	R$750,00	90	67.500
4º 05/05/XX	R$750,00	120	90.000
TOTAL	R$3.750,00	TOTAL	225.000

$$\text{Prazo Médio das Vendas} = \frac{\text{Soma dos Números}}{\text{Valor do Crédito}} = \frac{225.000}{R\$3.750} = 60$$

O prazo médio das vendas é de 60 dias.

Para vender a crédito em cinco pagamentos, com entrada no ato da compra, o seu prazo médio de venda será de 60 dias.

Convém uma previsão de atraso de pagamentos, sendo usual um índice de 20%. Para calcular o custo do seu financiamento é aconselhável, portanto, acrescentar mais 12 dias ao prazo médio de vendas, que ficará com 72 dias.

Agora podemos calcular o montante das contas a receber, com valor hipotético das vendas a crédito no montante de R$78.750 aplicado na fórmula abaixo.

$$\text{Saldo Médio das Contas a Receber} = \frac{\text{Valor das Vendas a Crédito} \times 72}{360}$$

$$\text{Saldo Médio das Contas a Receber} = \frac{R\$78.750 \times 72}{360} = R\$15.750$$

Assim sendo, vendendo a um prazo de 72 dias, o saldo médio das contas a receber durante o exercício será igual a R$15.750.

Quanto será necessário de capital?

O capital necessário constitui-se de Imobilizado e Capital de Giro.

O imobilizado é de R$15.000. O capital de giro está com a seguinte composição:

ESTOQUE MÉDIO	+ R$23.231,25
CONTAS A RECEBER	+ R$15.750,00
CAIXA E BANCOS	+ R$1.125,00
SUBTOTAL	**= R$40.106,25**
FINANCIAMENTO FORNECEDORES	(-) R$15.487,50
TOTAL	**R$24.618,75**

Assim, o capital de giro necessário é R$24.618,75.

Total do Capital = Imobilizado + Capital de Giro

Total do Capital = R$15.000,00 + R$24.618,75 = R$39.618,75

O capital necessário será de R$39.618,75.

Com tais conhecimentos tem-se uma boa noção quanto ao dinheiro necessário para abrir a empresa e quanto à importância de alguns números para a administração eficiente dos negócios.

Se tivermos mais dinheiro do que o apurado pelos cálculos, ótimo, pois ficará como reserva para o caso de alguma estimativa errada. Não sendo o dinheiro suficiente, mas havendo coragem para correr risco, recorre-se a outras pessoas ou bancos para completar os recursos.

ASPECTOS IMPORTANTES PARA A COBRANÇA DOS CRÉDITOS EM ATRASO | 15

"As riquezas do mundo pertencem efetivamente aos que têm a audácia de se declarar seus possuidores."

Georges Duhamel

Quem tem negócio, independentemente do tamanho, está inserido num cenário de acirrada concorrência e numa luta constante para conquistar e fidelizar seus clientes. E sabe que um dos principais entraves para a saúde financeira da empresa é a inadimplência de clientes, representada por boletos ou duplicatas não resgatados, cheques sem fundo ou calotes.

Nesse contexto, facilitar o fechamento de vendas por meio de concessão de crédito tem sido uma estratégia cada vez mais utilizada pelas empresas, visando manter uma carteira de clientes fiéis e alavancar as receitas.

O grande desafio é conseguir oferecer crédito sem comprometer a situação financeira da empresa. Diante deste cenário, ressaltamos a importância de o empresário elaborar um plano de cadastro, crédito e cobrança.

Para evitar a inadimplência, muitas empresas desenvolveram processos criteriosos e rigorosos de cobrança, buscando de todas as formas possíveis recuperar os valores devidos. Outras têm desenvolvido critérios rigorosos na liberação de crédito, procurando dar crédito apenas aos clientes que se adaptem às exigências da empresa. Essas posturas, do ponto de vista interno, podem trazer alguns resultados para a organização. Entretanto, estrategicamente, podem ser nocivas aos seus interesses.

Em primeiro lugar, o empresário deve contatar com rapidez o devedor inadimplente, logo após o vencimento da dívida. É preciso questionar o motivo do atraso, ouvir suas alegações e utilizar argumentos para tentar convencê-lo a quitar o débito imediatamente. Caso o cliente não possa pagar de uma só vez, será interessante acertar uma nova data para pagamento ou negociar um novo parcelamento da dívida, de preferência incorporando juros e multas por atraso.

Para reduzir e/ou evitar a inadimplência, siga os seguintes passos:

1) Controle

Mantenha um controle permanente e atualizado da carteira de vendas a prazo, utilizando, de preferência, uma planilha eletrônica ou sistema informatizado específico para cobrança que contenha os dados consolidados da carteira de crédito, como: identificação do cliente, seu limite de crédito, valor dos saldos devedores, parcelas vencidas etc.

2) Ações de cobrança

São implementadas a partir do atraso do pagamento por parte do cliente, ações como as sugeridas a seguir:

Etapa 1

Após o vencimento da parcela de financiamento, a empresa envia uma carta educada ou faz contato por meio de telefonema amigável, lembrando o cliente quanto à sua conta vencida. Se o cliente tem um motivo aceitável para o atraso e demonstrar intenção firme de quitar o débito, um novo acordo pode ser feito para viabilizar o recebimento.

Etapa 2

Se a conta não for paga, é feito um segundo contato, por carta ou telefonema, em tom mais assertivo, comunicando tratar-se da última tentativa de negociação para evitar o registro do cliente em órgão de proteção ao crédito. A essa altura é recomendável cortar totalmente o crédito do cliente.

Etapa 3

A empresa efetua o registro em órgão de proteção ao crédito e é feita uma notificação extrajudicial.

Etapa 4

O título é encaminhado para protesto ou é acionado o Juizado Especial (Pequenas Causas).

Atenção para os seguintes itens:

→ **Negociação**
É importante contatar o devedor inadimplente rapidamente, logo após o vencimento da dívida. Deve-se questionar o motivo do

atraso, ouvir suas alegações e utilizar argumentos para tentar convencê-lo a quitar o débito imediatamente. Se o cliente não puder pagar de uma só vez, acerte uma nova data para pagamento ou negocie novo parcelamento da dívida, de preferência incorporando juros e multas por atraso.

→ Inscrição em Órgãos de Proteção ao Crédito

Os orgãos de proteção ao crédito são entidades privadas que recebem informações cadastrais de clientes de seus associados para inserção em seus bancos de dados.

Ao associar-se a essas entidades, os comerciantes comprometem-se a cumprir um conjunto de procedimentos para obter informações sobre pretendentes a crédito em suas empresas e para denunciar inadimplência dos seus clientes.

É importante notar que a denúncia de inadimplência aos órgãos de proteção ao crédito tem sido utilizada não só por empresas públicas e privadas, mas até mesmo por órgãos governamentais, como forma de pressão sobre consumidores e contribuintes inadimplentes, visando o recebimento de créditos oriundos de vendas de serviços e tributos não recolhidos. Tal medida deve ser tomada caso as demais ações de cobrança não tenham surtido efeito.

→ Notificação extrajudicial

A notificação extrajudicial é o expediente que pode ser adotado pelo credor quando, por intermédio de advogado ou oficial de cartório, comunica ao devedor que ele está inadimplente e que, dentro de determinado prazo, deve regularizar seu débito sob pena de encaminhamento de cobrança judicial com acréscimo dos encargos pertinentes, além de honorários advocatícios.

→ Protesto

O protesto público de instrumentos de crédito (duplicatas, cheques e notas promissórias) que comprovam o compromisso assumido pelo devedor é feito em cartório próprio para esse fim.

Com a simples comunicação oficial de encaminhamento para protesto, a maioria dos devedores já comparece aos cartórios e quita seus débitos, evitando os transtornos de ações e custas judiciais.

Essa medida pode ser tomada por pessoas físicas ou jurídicas. É um direito de todos os cidadãos, tendo por objetivo preservar a credibilidade, evitar a impunidade e atitudes de má-fé, restaurando a moralidade e a seriedade das transações comerciais.

O cadastro do cliente é um instrumento que proporciona informações necessárias para se iniciar o relacionamento com o cliente e estabelecer possíveis limites de crédito.

É importante e necessário vender a prazo como forma de aumentar o volume de vendas e conquistar o mercado, tendo em conta as condições deste último, mas não esquecendo de uma política de crédito eficaz como forma de evitar problemas na tesouraria da empresa. As empresas devem aplicar as técnicas avançadas de gestão do risco de crédito para dispor de uma vantagem competitiva em relação aos seus concorrentes, podendo fazer alterações em suas políticas de crédito para atingir seus objetivos e ao mesmo tempo avaliar os riscos em que estão incorrendo.

A IMPORTÂNCIA DO PLANEJAMENTO TRIBUTÁRIO PARA AS PEQUENAS EMPRESAS 16

"Planejar é importante e necessário, e, por mais minucioso, somente acontecerá a partir da sua atitude!"

Joaquim Fagundes

O crescente aumento da carga tributária nos últimos anos tem obrigado as empresas a organizarem-se internamente de forma a assegurar sua competitividade no mercado.

É o que pontua o *site* Gestão e Liderança: *"Em média, 33% do faturamento empresarial é dirigido ao pagamento de tributos. Do lucro, até 34% vai para o governo. Da somatória dos custos e despesas, mais da metade do valor é representado pelos tributos".*

Diante do exposto, a redução dos custos tributários torna-se uma questão de sobrevivência para qualquer empresa que almeje progredir. E, dessa forma, a busca, na legislação tributária, de permissivos que diminuam, zerem ou posterguem o pagamento de determinados tributos é medida que se impõe.

Cabe ressaltar que os princípios constitucionais autorizam o contribuinte a planejar e realizar práticas que não gerem ou que reduzam o pagamento de tributos, assim como abster-se de práticas que importem no adimplemento tributário.

A estrita observância das normas tributárias, sem qualquer estudo ou planejamento, tem prejudicado seriamente a competitividade dos empreendedores, ocasionando, em muitos casos, a falência e o fechamento de suas empresas.

Portanto, o planejamento tributário, também denominado de gestão tributária, elisão fiscal, planejamento fiscal, surge como uma alternativa para o empresário no sentido de tentar manter a carga tributária global em patamares aceitáveis e racionalizar os procedimentos fiscais, sem, contudo, incorrer em práticas criminosas.

Em síntese, o planejamento consiste na reorganização dos negócios de forma a evitar, reduzir ou postergar o pagamento de tributos sem infringir dispositivo legal.

Ainda segundo o *site* Gestão e Liderança, são três as finalidades do planejamento tributário:

1) Evitar a incidência do fato gerador do tributo.

Exemplo: substituir por distribuição de lucros a maior parte do pró-labore dos sócios de uma empresa, pois desde janeiro de 1996 tal item não sofre incidência do IR nem na fonte nem na declaração. Dessa forma, evita-se a incidência do INSS (20%) e do IR na Fonte (até 27,5%) sobre o valor retirado como "lucros em substituição de pró-labore".

2) Reduzir o montante do tributo, sua alíquota ou reduzir a base de cálculo do tributo.

Exemplo: ao preencher sua declaração de renda, você pode optar por deduzir até 20% da renda tributável como desconto padrão (limitado a R$9.400,00) ou efetuar as deduções de dependentes, despesas, plano de previdência privada etc. Você certamente escolherá o valor maior, que lhe permitirá uma maior dedução da base de cálculo, de modo a gerar um menor Imposto de Renda a pagar (ou maior valor a restituir).

3) Retardar o pagamento do tributo, postergando-o (adiando-o) sem a ocorrência da multa.

Exemplo: transferir faturamento da empresa do dia 30 (ou 31) para o 1° dia do mês subsequente. Com isto ganham-se 30 dias adicionais para pagamento do PIS, Cofins, Simples, ICMS, ISS, IRPJ e CSLL (lucro real por estimativa); se for final de trimestre, até 90 dias de IRPJ e CSLL (lucro presumido ou lucro real trimestral) e 10 a 30 dias se a empresa pagar IPI.

Outrossim, cabe salientar que o planejamento tributário deixa de ser uma faculdade do bom administrador e torna-se, sim, uma obrigação. A Lei N° 6.404/1976 (Lei das Sociedades Anônimas) prevê a obrigatoriedade do planejamento tributário por parte dos administradores, como se verifica pela leitura do seu Art. 153: *"O administrador da companhia deve empregar, no exercício de suas funções, o cuidado e a diligência que todo o homem ativo e probo costuma empregar na administração dos seus próprios negócios."*

Nesse sentido, recapitulando o estudo da relação jurídico-tributária (Capítulo 2), verifica-se que o fato gerador consiste na materialização da hipótese de incidência, ou seja, o indivíduo realiza um fato que se adapta ao comando da lei. Nesse momento, o cidadão passa à condição de contribuinte "obrigado" ao pagamento do tributo.

Assim, a operacionalização do planejamento tributário está condicionada a, após a análise da legislação, evitar a ocorrência do fato gerador. Então, a partir do surgimento do fato gerador, via de regra, está o diferencial entre a elisão e a evasão fiscal, temas a seguir estudados.

Muitos empreendedores veem-se retraídos ao deparar com a elevada e complexa carga tributária que apresenta o nosso atual sistema.

Entretanto, assim como é essencial detalhar num bom plano de negócios o desenvolvimento dos produtos e serviços, o plano financeiro e de *marketing*, também a estrutura de pessoal e a formação do preço de venda são fundamentais. Outro item de grande importância e necessário para a competitividade de qualquer negócio é o planejamento tributário.

O planejamento tributário, ou elisão fiscal, é lícito, saudável, aumenta a viabilidade e a competitividade dos negócios.

Em regra, os tributos incidem na formação do próprio preço que será praticado pelo empreendedor, porém, muitas vezes, por falta de orientação, este termina formando o seu preço e aplicando o custo de comercialização ao final.

Lembramos que o custo de comercialização é composto pelos custos de venda, como, por exemplo, comissões, e mais os tributos incidentes.

Por exemplo:

Na noção intuitiva, um determinado item que tem custo total (fixo e variável) de R$100,00, uma margem de lucro de 10% e um custo de comercialização de 30%, tem o preço assim fixado:

$$PV = [(CF + CV) \times (1 + ML)] \times (1 + CC)$$

RESULTADO: $(100 \times 1{,}1) \times 1{,}3 = R\$143{,}00$.

Observemos, porém, que a carga tributária incide sobre o preço da venda do item, logo, sobre R\$143,00, o que daria R\$42,90.

Mas na formação do preço, foi estimado que se teria um "lucro" de R\$10,00. Verifica-se, portanto, que isso não é verdade, pois R\$143,00 – R\$42,90 = R\$100,10!

Como vimos, a aplicação incorreta na formação do preço de venda faz com que a carga tributária venha a "consumir" uma parcela do "lucro".

Logo, o planejamento tributário é importante antes mesmo de ocorrer a comercialização. Aliás, antes mesmo de se decidir qual a melhor opção de forma de tributação.

O planejamento tributário, então, é de suma importância para a manutenção da existência das empresas. Considerando os diferentes tipos de tributos existentes em nosso país, a alta carga tributária tem representado atualmente uma significativa parcela do resultado das empresas, que interfere no resultado econômico das mesmas.

Diante de um mercado cada vez mais competitivo, a maior parte das micro e pequenas empresas, com a intenção de se estabilizar, deve procurar benefícios e a diminuição de tributos, para que possa aumentar seu ciclo de vida.

A maior dificuldade de quem abre uma micro ou pequena empresa não é somente a carga tributária, mas também o desconhecimento da mesma. Na maioria das vezes o empresário emergente não tem o conhecimento da responsabilidade fiscal e, quando se depara com ela, normalmente perde o controle da situação.

Sabe-se que milhares de empresas são constituídas anualmente no Brasil; porém, a maioria delas é fechada antes mesmo de completar um ano de existência. Para diminuir o peso da carga tributária que incide sobre as micro e pequenas empresas, foi criado o Simples Nacional.

Esse regime é um sistema de tributação que beneficia as micro e pequenas empresas e que entrou em vigor em julho de 2007, dando fim aos demais regimes de tributação para empresas dessas categorias. A Lei Complementar Nº 123/2006, conhecida como a Lei Geral das Micro e Pequenas Empresas, e que criou o Simples Nacional, permite aos estados manter os seus regimes de ICMS, integrando-os ao Simples Nacional, desde que sejam melhores do que as alíquotas do novo Sistema de Tributação.

O grande diferencial do Simples Nacional é a aglutinação de até oito tributos em uma única arrecadação, incluindo as obrigações acessórias. A arrecadação única inclui os seguintes tributos:

1) IRPJ - Imposto de Renda da Pessoa Jurídica;

2) IPI - Imposto sobre Produtos Industrializados;

3) CSLL - Contribuição Social Sobre o Lucro Líquido;

4) PIS - Programa de Integração Social;

5) COFINS - Contribuição para o Financiamento da Seguridade Social;

6) CPP - Contribuição Previdenciária Patronal;

7) ICMS - Imposto Sobre a Circulação de Mercadorias e Serviços;

8) ISSQN - Imposto sobre Serviços de Qualquer Natureza.

Cabe ressaltar que o Simples Nacional é um regime de tratamento diferenciado, que beneficia as micro e pequenas empresas, e não um sistema de imposto único. Como o tratamento é diferenciado, o que se espera é que o valor recolhido de maneira centralizada seja menor do que a soma dos valores que seriam pagos no caso de não adoção desta sistemática.

PLANEJAMENTO TRIBUTÁRIO

Planejamento tributário é um conjunto de atos e sistemas legais que visam reduzir a incidência dos tributos, onde o contribuinte pode estruturar seu negócio de forma menos onerosa, procurando a diminuição dos custos e, principalmente, dos impostos de seu empreendimento.

Para um bom planejamento tributário, inúmeras decisões devem ser tomadas, de maneira que todos os passos a serem dados durante o ano sejam esquematizados e combinados com a legislação vigente. Isso se torna ainda mais essencial, se considerarmos o atual cenário brasileiro, onde o planejamento é imprescindível para a obtenção do sucesso ou, simplesmente, para a sobrevivência das empresas.

É importante esclarecer que o planejamento tributário (elisão fiscal) passa longe da sonegação fiscal (evasão fiscal), pois propõe atitudes legais que reduzirão o valor dos tributos devidos, sem, contudo, sonegar ou fraudar o fisco. Na verdade, tudo é realizado em consonância com o que prevê e estabelece a legislação.

E, aqui, mais um motivo para que o empresário invista neste assunto: a legislação tributária brasileira é demasiadamente complexa, o que ocasiona a necessidade de profissionais especializados, para que a empresa possa cumprir, de maneira correta, com todas as obrigações tributárias exigidas pelo fisco, sem comprometer o controle de seus custos.

O planejamento tributário, desta forma, é de extrema importância e deve ser efetivado anualmente pelos administradores empresariais, que podem optar por uma das três opções oferecidas pelo fisco: Simples Nacional, Lucro Presumido e Lucro Real.

Uma vez que a legislação não permite a mudança de regime no mesmo exercício, a opção por uma das modalidades será determinante, pois se a decisão for equivocada, provocará efeitos durante todo o ano.

A opção é definida até o último dia útil do mês de janeiro para as empresas optantes pelo Simples Nacional, e, para as demais, quando do primeiro pagamento de impostos, que normalmente ocorre nos meses de fevereiro e março de cada ano.

Desta forma, a apuração do IRPJ - Imposto de Renda da Pessoa Jurídica e da CSLL - Contribuição Social Sobre o Lucro Líquido pode ser feita por uma das três opções disponibilizadas pelo fisco:

1) **Simples Nacional (opção exclusiva para microempresas e empresas de pequeno porte);**

2) **Lucro Presumido;**

3) **Lucro Real (com apuração anual ou trimestral).**

IMPORTÂNCIA DO PLANEJAMENTO TRIBUTÁRIO PARA AS MICRO E PEQUENAS EMPRESAS

É um grande desafio para nosso país manter as portas das empresas abertas, enquanto estas atravessam um período desfavorável, com altas taxas de juros, pesada carga tributária e constantes oscilações financeiras. É um desafio para qualquer empresa; principalmente para as micro e pequenas empresas.

Nesse momento, a contabilidade deve ser uma grande aliada, como a responsável pelo agrupamento de informações do dia a dia da empresa. Dentre tais informações, está o planejamento tributário, que deve receber maior atenção, pois permite a redução, de forma legal, do ônus tributário.

As empresas devem levar em conta todas as contribuições; dentre elas a Cofins - Contribuição para o Financiamento da Seguridade Social e o PIS - Programa de Integração Social, para que possa definir qual Regime Tributário deve escolher. A falta de planejamento estratégico é a causa da grande mortalidade das micro e pequenas empresas.

Com a adoção do planejamento tributário, a empresa pode visualizar suas atividades no tocante ao cumprimento das obrigações fiscais, evitando ou minorando situações que possam descapitalizá-la.

■ SIMPLES NACIONAL

A Lei Complementar Nº 123/06 instituiu o Simples Nacional - Regime Especial de Arrecadação de Tributos e Contribuições devidos pelas micro e pequenas empresas, estabelecendo um limite anual de faturamento. Atualmente, este limite é de 3,6 milhões de reais por ano.

As microempresas e empresas de pequeno porte, regularmente optantes pelo regime tributário de que trata a Lei Nº 9317/1996 (Simples Federal), foram automaticamente inscritas, a partir de julho/2007, na sistemática do Simples Nacional, salvo as que incidiram em hipótese de exclusão legal ou de vedação ao ingresso.

Dependendo da atividade da empresa, esse regime é economicamente mais benéfico que os demais. Entretanto, os prestadores de serviços devem ficar muito atentos, pois, dependendo do serviço prestado, talvez seja mais vantajoso optar pelo regime de Lucro Presumido. Além dessa questão econômica, há que se considerar a dificuldade no que se refere à compreensão da legislação vigente.

Como ela é repleta de detalhes que levam a inúmeras interpretações, torna-se complicado entender como funciona o regime. Também é necessário considerar os impedimentos, pois para muitas atividades há vedação quanto à opção pelo Simples Nacional. Importante lembrar que a empresa que optar pelo Simples Nacional e seus benefícios deve, dentre outras obrigações, manter sempre em dia o pagamento dos seus tributos, emitir as notas fiscais relativas às suas atividades e registrar seus empregados.

Desta forma, podemos entender que a Lei Complementar Nº 123/2006, que criou o Simples Nacional, veio para beneficiar as microempresas e empresas de pequeno porte diminuindo, assim, a carga tributária incidente nessas categorias de sociedade empresária, permitindo melhores condições para a sua formalização, continuidade e competitividade.

▪ SIMPLES NACIONAL E LUCRO PRESUMIDO

O Lucro Presumido é um regime de tributação onde a base de cálculo para o pagamento dos tributos é obtida por meio da aplicação de um percentual, definido em lei, calculado sobre a sua receita bruta. Como o próprio nome diz, trata-se de uma presunção de existência de lucro.

Para este regime de tributação, existem algumas vantagens relativas às obrigações acessórias, pois o fisco federal dispensa da escrituração contábil as empresas enquadradas nesse regime, desde que seja mantido o Livro Caixa.

Em princípio, todas as pessoas jurídicas podem optar pelo regime de Lucro Presumido, salvo aquelas obrigadas à apuração pelo Lucro Real. Contudo, para verificar se este é o regime mais benéfico para a empresa, é necessário realizar simulações, pois, caso a empresa tenha valores consideráveis de despesas dedutíveis para o IRPJ, é muito provável que o regime pelo Lucro Real seja mais econômico.

■ Simples Nacional e Lucro Real

Para se verificar se é mais conveniente a tributação de uma microempresa ou empresa de pequeno porte por esse regime, é necessário efetuar a apuração do resultado contábil, ou seja, é obrigatório que a empresa mantenha a escrituração contábil nos moldes exigidos pela legislação comercial vigente.

Depois de apurado o resultado contábil, devem ser procedidos os ajustes de adições e exclusões previstos em lei. Essas adições constituem despesas que o fisco não aceita para fins de apuração do IRPJ e da CSLL. É nesse ponto que as atenções devem ser redobradas, pois nem tudo aquilo que reduz o patrimônio da empresa é aceito pelo fisco para a diminuição da base de cálculo tributável.

A MICROEMPRESA, A EMPRESA DE PEQUENO PORTE E A REFORMA TRIBUTÁRIA

Como já é de conhecimento geral, a Proposta de Reforma Tributária, enviada pelo Poder Executivo ao Congresso Nacional, há algum tempo vem sendo objeto de muitos debates, pois representa um projeto complexo de emenda constitucional que modifica a legislação tributária vigente.

Esse projeto atende a exigências do momento, promove alterações estruturais de vulto e lança as bases para futuras modificações capazes de atender às necessidades da economia, da sociedade e do governo, reduzindo a alta carga tributária existente. A reforma tributária é, sem dúvida, uma alternativa plausível para tornar o país não apenas mais competitivo, como também para reduzir o peso dos tributos, tanto para as empresas quanto para as pessoas físicas.

A distribuição equitativa da carga tributária é mais significativa por permitir o nível adequado de financiamento do governo, resultando em efeito direto sobre a distribuição de renda, essencial à promoção da justiça social.

Em linhas gerais, essa reforma poderá trazer grandes avanços para o país, proporcionando menos burocracia, redução contundente do câncer da guerra fiscal, uma tributação mais uniforme, mais investimentos, mais competitividade, dentre outros resultados esperados. No entanto, entendemos que ainda não será suficiente para colocar o Brasil no rol de países com melhores práticas de tributação.

Para as microempresas e empresas de pequeno porte, a reforma tributária prevê um tratamento diferenciado e favorecido, conforme a redação proposta para o Art. 146, inciso III, alínea "d", da Constituição Federal:

"Cabe à Lei Complementar: ... III - estabelecer normas gerais em matéria de legislação tributária, especialmente sobre: ... d) Definição de tratamento diferenciado e favorecido para as Microempresas e Empresas de Pequeno Porte, inclusive regimes especiais ou simplificados no caso dos impostos previstos nos Art. 153, incisos IV e VII, 155-A, 156, inciso III, e das Contribuições previstas no Art. 195, inciso I". "...".

A Cofins, o PIS, a Cide - Combustíveis e o Salário Educação serão substituídos pelo Imposto sobre Valor Adicionado Federal (IVA-F), incidente sobre operações com Bens e Serviços, que prevê também a fusão do Imposto de Renda da Pessoa Jurídica com a Contribuição Social sobre o Lucro Líquido.

Já para o ICMS, prevê-se a uniformização de sua incidência por meio de uma lei complementar que substituiria as legislações estaduais e suas milhares de páginas. De qualquer maneira, a grande reforma tributária para as microempresas e empresas de pequeno porte já ocorreu com a vigência da Lei Complementar Nº 123/2006, prevista pela Emenda Constitucional Nº 42/2003. Essa lei criou o Simples Nacional, que hoje beneficia mais de três milhões de empresas que estão no sistema.

OS LIMITES DE TRIBUTAR

A obrigatoriedade de lei para disciplinar a incidência de tributos impõe sua plenitude, ou seja, lei material e formal. A legalidade não se contenta com a simples existência do comando abstrato, geral e impessoal (lei material) na valoração dos fatos. A segurança jurídica exige lei formal, ou melhor, obriga que aquele comando, além de abstrato, geral e impessoal (reserva de lei material), seja formulado por órgão do poder legislativo.

A fim de enfatizar a correlação entre a segurança jurídica e o princípio da legalidade, cumpre transcrever o entendimento do doutrinador Hugo de Brito Machado, ao comentar o Art. 150, I da Constituição Federal [2]:

"Legalidade e Segurança Jurídica [...]

"Sendo a lei a manifestação legítima da vontade do povo, por seus representantes e parlamentares, entende-se que o ser instituído em lei significa ser o tributo consentido. O povo consente que o Estado invada seu patrimônio para dele retirar os meios indispen-

sáveis à satisfação das necessidades coletivas. Mas não é só isto. Mesmo não sendo a lei, em certos casos, uma expressão desse consentimento popular, presta-se o princípio da legalidade para garantir a segurança nas relações do particular (contribuinte) com Estado (fisco), as quais devem ser inteiramente disciplinadas, em lei, que obriga tanto o sujeito passivo como o sujeito ativo da relação obrigacional tributária.

"Não é necessário discorrer a respeito da importância da segurança jurídica como valor fundamental a ser preservado pelo Direito. Sabemos todos que a segurança, além de ser importante para viabilizar as atividades econômicas, é essencial para a vida do cidadão. Nem é necessário demonstrar a importância do princípio da legalidade como instrumento de realização da segurança jurídica. Ela é evidente. E qualquer amesquinhamento do princípio da legalidade implica sacrificar a segurança.

"Por tais razões, o princípio da legalidade tem sido concebido pela doutrina como uma exigência de previsão legal específica das hipóteses de incidência tributária, tendo essa concepção doutrinária sido incorporada pelo Código Tributário Nacional, que explicitou em seu art. 97, estabelecendo que somente a lei pode estabelecer, entre outros elementos essenciais na relação tributária, a definição do fato gerador da obrigação principal, vale dizer, o fato gerador do dever jurídico de pagar tributo."

Isso que dizer que temos em nosso sistema jurídico o princípio da legalidade a exigir tipos tributários, tal como no direito penal existem os tipos penais. Ao legislador cabe, para preservação, a segurança jurídica propiciada pelo princípio da legalidade, e é a esta diretamente proporcional. Como assevera João Dácio Rolim, com inteira propriedade,

"Quanto maior a precisão desses tipos, menor a margem de incerteza e a possibilidade de arbitrariedade por parte do intérprete da lei ou das próprias regras surgidas pela jurisprudência.".

Apesar do absolutismo do princípio da legalidade, a Constituição Federal, em determinados casos, o excepciona no que tange a certos impostos e contribuições de intervenção no domínio econômico. Nesses casos, é facultada ao Poder Executivo, somente, a alteração de alíquotas legalmente fixadas.

O doutrinador Leandro Paulsen (2005, p.184) expõe os tributos que rompem com a restritividade legislativa:

"A legalidade tributária constitui direito fundamental do contribuinte, sendo, portanto, cláusula pétrea, conforme destacado em nota introdutória às limitações ao poder de tributar. As atenuações à legalidade (autorizações para que o Executivo altere alíquotas) são apenas as expressas no Art. 153, §3°, 1°, da CF. A referência a tal dispositivo, ao II, IE, IPI e IOF é taxativa, não admitindo ampliação sequer por Emenda Constitucional. [...]"

Como se verifica, o princípio da legalidade é regra essencial ao sistema tributário. Historicamente foi uma das primeiras garantias a surgir em favor do contribuinte, figurando hoje como um importante instrumento de limitação ao poder de tributar.

Salienta-se que no decorrer do estudo será abordado o princípio da legalidade negativa em conjunto com a livre iniciativa, já que garantem ao cidadão ampla liberdade de agir e empreender, excepcionada apenas por lei específica.

Demonstrada, então, a importância da legalidade, passa-se a enfocar o Princípio da Isonomia Tributária, como forma de preservar a retidão na cobrança de tributos.

CONSIDERAÇÕES

Com o alto índice de mortalidade das microempresas e empresas de pequeno porte em nosso país, observa-se que uma das principais causas é a falta de um planejamento tributário confiável.

O contribuinte, considerando os direitos e garantias expostos na Constituição Federal, possui total liberdade de agir na sociedade, excepcionada, apenas, quando lei específica dispuser de forma contrária.

Dessa forma, é natural e salutar que os empresários, especialmente no campo do direito tributário, utilizem-se de todas as "brechas" da legislação para que, fugindo do fato gerador do tributo, reduzam sua carga tributária. Nota-se que é de suma importância o conhecimento dos princípios constitucionais tributários, assim como do nascimento e formação da relação jurídico-tributário, já que protegem e asseguram o contribuinte contra a invasão patrimonial arbitrária do fisco. Por conseguinte, nos dois primeiros capítulos tentou-se, sinteticamente, abordar essas temáticas, permitindo ao leitor uma visão propedêutica do direito tributário e, consequentemente, do planejamento tributário.

Nesse sentido, verificou-se que a distinção entre um planejamento tributário lícito (elisão fiscal) e ilícito (evasão fiscal) está, justamente, na legítima fuga da concretização, no mundo dos fatos, da hipótese de incidência, ou seja, do nascimento do fato gerador.

Como elucidado durante o presente trabalho, o planejamento tributário lícito é direito constitucional do contribuinte, não cabendo qualquer restrição do Estado. Contudo, diante do aumento das despesas governamentais, cresce a fúria arrecadatória do fisco, bem como a pressão sobre o contribuinte no sentido do pagamento cada vez maior de tributos, chegando ao ponto de proibir, até mesmo, a elisão fiscal.

O Art. 116, parágrafo único do CTN, acrescido pela Lei Complementar Nº 104/2001, chamada de norma antielisiva, permite ao fisco desconsiderar atos ou negócios jurídicos que visem dissimular a ocorrência do fato gerador do tributo. Notem a discricionariedade que a legislação confere ao agente público, pois permite-lhe, de acordo com seus pré-conceitos, desconsiderar e punir o contribuinte sem provas concretas, considerando apenas indícios. Pontua-se que essa insegurança é totalmente rechaçável pelo ordenamento jurídico, devendo o Poder Judiciário decretar a sua inconstitucionalidade.

Entretanto, infelizmente, normas antielisivas tornar-se-ão cada vez mais comuns em nosso ordenamento jurídico, assim como a violação dos direitos constitucionais, caso não ocorra uma mudança de pensamento dos dirigentes, já que o Estado "tem como fundamento o povo e foi criado para o povo" (todos os cidadãos).

A realidade é que todas as empresas, tanto as microempresas e empresas de pequeno porte, quanto as grandes empresas, visivelmente atordoadas com a carga tributária existente, comprovam a necessidade de adoção de procedimentos legais que ofereçam resultados concretos de redução do custo tributário nacional.

O planejamento tributário não é ficção ou mero modismo, muito menos a carga tributária brasileira, que a cada dia vem cerrar as portas de inúmeras empresas, desempregando milhares de pessoas e travando e/ou dificultando o desenvolvimento econômico do país. Pelo contrário, é realidade, e, mais que isso, é necessidade imperiosa e questão de sobrevivência para as empresas.

Assim, podemos dizer que o planejamento tributário é uma ferramenta indispensável desde o planejamento da atividade empresarial, sua manutenção, competitividade, dinâmica e até sobrevivência, onde o próprio ramo de atividade, bem como o mercado, influenciará no regime a ser adotado para o adimplemento das obrigações fiscais.

Portanto, é lícito planejar.

ALGUMAS RECOMENDAÇÕES PARA O SUCESSO DE SUA EMPRESA | 17

> *"Uma empresa sem estratégia faz qualquer negócio."*
> Michael Porter

ASPECTOS IMPORTANTES PARA OBTER O SUCESSO

Existem diversas correntes de pensamento e diversos livros que abordam o tema. Sem, no entanto, querer citar um ou outro, prefiro listar alguns desses aspectos baseado na minha experiência profissional. Ressalte-se também que a maior parte do material didático utilizado baseia-se na experiência estrangeira, e, embora tenhamos evoluído muito nas últimas décadas quanto a empreender e gerir negócios, ainda é preciso considerar em muitos casos o modo tupiniquim de gerir as coisas. E existe uma diferença muito grande entre ser dono de pequena empresa e ser diretor ou gestor de uma média ou grande empresa

Destaco alguns tópicos bem interessantes e que devem ser observados na gestão do seu negócio, independentemente do ramo ou tamanho.

SACRIFÍCIO

Ao iniciar uma atividade empresarial ou assumir a gestão de uma empresa, mesmo pequena, esteja preparado para uma parcela extra de sacrifícios, ou seja, trabalhar de 12 a 16 horas por dia, muito mais que quando era apenas um colaborador de carteira assinada. Afinal, você é o "faz-tudo", principalmente nos primeiros anos, até mesmo quando começar a ter um, dois ou mais auxiliares. No início a batalha é árdua, muito árdua, e, como numa guerra, você vai deixar algumas coisas para trás, mas relembrando delas a cada batalha vencida.

Nesta etapa, o apoio familiar é muito importante, pois serão muito comuns as privações de lazer, viagens, e até mesmo pessoais. Será preciso se perguntar muitas vezes:

1) Estou disposto(a) a transformar meu trabalho em primeira prioridade, colocando-o acima de minha família e amigos?

2) Estou disposto(a) a investir (mesmo tendo a possibilidade de perder) todas as minhas economias?

3) Estou disposto(a) a mudar meu padrão de vida para me adaptar às necessidades financeiras do meu novo negócio?

ATENDIMENTO

Atendimento é tudo. Se você tem uma empresa, você tem um cliente e muito mais. E se tiver funcionários, estes também são clientes. Trate bem sem olhar a quem. Mesmo que seja um cliente exigente ao extremo e você às vezes queira "matá-lo" com o olhar, respire fundo, tente relaxar ao máximo e sorria. Um sorriso abre portas, e saber ouvir seu cliente derruba barreiras.

Mas se sentir que não vale a pena, não tenha receio de perdê-lo ou de não fechar negócio, mesmo que seja aquele cliente que você tanto deseja. É melhor abrir mão de uma venda ou de um contrato, deixar de ganhar dinheiro hoje, do que perder, e muito, amanhã. Cliente-problema-sem-solução tende a gerar o desestímulo da sua equipe e o seu, e custa caro dispensá-lo depois.

Avalie, porém, o momento em que você está, e, se ele for responsável pelo pagamento de suas contas por algum tempo, pense até quando poderá suportá-lo. Se está disposto a "pagar" esse preço. Pense nisso como parte do sacrifício.

QUALIDADE DO SERVIÇO

Não adianta nada sorrir e o cliente entender que seu serviço não reflete a qualidade esperada. Especialize-se ou especialize sua empresa. Agregue valor.

Criar valor é o segredo para poder cobrar mais, destacar-se como referência de qualidade e conseguir mais lucro. É preciso identificar as necessidades do cliente, entender o que ele valoriza e construir uma solução ideal. Como resultado, isso se traduz em aumento da qualidade do produto e aumento do lucro.

O cliente precisa perceber o valor do seu produto. Se você tem um produto muito bom, isso ainda não é o suficiente para aumentar o preço sem perder vendas. Você também precisa aumentar o valor percebido do seu produto. É preciso, portanto, entender o que o cliente realmente valoriza e como expor essas informações para ele. O objetivo é conseguir ter um produto com o valor percebido tão alto que chegue a se vender sozinho!

CAPITAL

Defina o seu pró-labore mensal em coerência com seus gastos pessoais. Procure não exagerar. Jamais gaste mais do que tem. Jamais gaste além do que pode. Reinvista os lucros, em parte ou na totalidade. É o lucro de hoje que paga o prejuízo de amanhã. Não perca o controle do fluxo de caixa, do que entra, do que sai. Não confie completamente em ninguém para fazer as suas contas, porque não será tal pessoa, no final da história, que terá que arcar com os prejuízos. Mantenha sempre um dinheiro reservado para problemas. Sempre existem problemas e, em empresas, todos eles envolvem dinheiro. Mantenha seus controles financeiros em dia. Lembre-se: o que não é controlado, ou é perdido ou é roubado.

CONHECIMENTO

Tenha domínio daquilo que faz. Não dependa totalmente do conhecimento alheio, porque ele induz à relação de dependência, e no dia em que um lado roer a corda você ficará na mão. Faça cursos, participe de rodadas de negócios, feiras e congressos, aprimore-se. E mais do que isso: conhecimento não se resume somente a conhecer o produto, o mercado, as finanças etc. Saia da empresa, socialize-se com todos a sua volta, mantenha uma boa rede de contatos junto a empresários, associações de classe, organizadores de eventos. Veja-os como fontes de informações e potenciais parceiros e/ou clientes..

Do mesmo jeito como na vida, nunca sabemos quando vamos precisar de ajuda, e ser bem-visto pela vizinhança conta muito e abre portas. E conhecimento também inclui, por exemplo, saber quando vai entrar dinheiro no ano e quando vai se perder, coisa que só se obtém com o passar dos meses/anos, dependendo do seu segmento.

OBJETIVIDADE

Não adianta dizer que é uma padaria e mais parecer um armazém. A não ser que seu objetivo seja abraçar o mundo comercial com as pernas, você deve focar-se em seu objetivo. Quando você abre uma empresa, diz qual é a função básica e quais são segmentos secundários. Enfoque-se naquilo em que você é bom, não naquilo que deseja fazer como forma de aprendizado.

O mundo dos negócios está cheio de aventureiros e de empresas que experimentam e ficam só nisso. Se o cliente não souber o que encontrar quando for à sua loja ou chamá-lo, ele não vai repetir o erro. Salvo raras exceções, em geral ninguém gosta de encarar o desconhecido ou o instável. A não ser que ESTES sejam seu objetivo. Tenha uma missão clara e agarre-se a ela como Moisés se agarrou aos mandamentos.

PÚBLICO-ALVO

Qual seu público-alvo? Para quem você quer vender, e por quê? Dependendo do tipo de negócio que se pretende implementar, ou produto e serviço a ser comercializado, pode ser importante identificar desde a faixa etária e o nível de renda dos possíveis clientes até o estado civil e se têm filhos (e quantos, claro!).

Com as informações em mãos, o próximo passo é delimitar a parcela desse grande público para a qual valerá a pena dedicar as maiores atenções. "É melhor falar bem com os vizinhos do que mais ou menos com todas as pessoas do bairro."

Aproveite todos os contatos que você tiver com seu cliente para ouvir e compreender quais são suas reais necessidades. Além disso, pergunte o que poderia melhorar no seu negócio. Em seguida, observe o comportamento de compra de cada um. Pequenos gestos podem indicar onde você precisa fazer ajustes na sua operação.

SORTE

Sorte é quando a oportunidade chega e você está bem preparado para aproveitá-la. Competência é bom para lidar com os problemas que surgem, mas a sorte é aquele tempero a mais da vida, que impede que grandes problemas aconteçam ou venham pegá-lo de surpresa.

Enfim, acredito que levar em consideração esses pontos (e outros, porque cada realidade é independente da outra) talvez ajude um pouco alguém que esteja com dificuldades em gerir sua empresa ou mesmo querendo arriscar-se no meio empresarial.

E, lembre-se, independentemente do tamanho da sua empresa, ela sempre será a maior e mais criativa do mundo para alguém: Você!

Para finalizar, vamos enumerar algumas recomendações e dicas úteis para o empresário agir com segurança nos negócios e levar sua empresa ao sucesso.

ALGUMAS RECOMENDAÇÕES PARA O SUCESSO DE SUA EMPRESA

→ Explore ao máximo os recursos de que dispõe; não os imobilize muito, no intuito de reservar dinheiro para capital de giro;

→ Controle as despesas evitando perdas e desperdícios, mas sem perder de vista o padrão de qualidade da empresa e o esforço de vendas e lucro;

→ Planeje bem seu volume mínimo de vendas, através do cálculo do ponto de equilíbrio. Defina as metas e dirija seus esforços para atingir o nível ideal de vendas;

→ Persiga sempre o lucro, trabalhando com mercadorias de alto giro e comprando sempre com os maiores prazos possíveis;

→ Faça uma boa propaganda e organize promoções divulgando as vantagens oferecidas por sua empresa;

→ É importante avaliar a necessidade real do financiamento, assim como medir os seus impactos. Análises minuciosas e muita reflexão devem antecipar a decisão de se tomar crédito junto aos agentes financeiros. O empresário deve perceber se seus problemas não são de gestão. A decisão de obter recursos de terceiros deve ser sempre realizada de forma consciente.

Lembre-se

Uma boa gestão financeira garante a saúde da empresa e, não será exagero dizer, a tranquilidade dos donos e administradores. Ao manter-se a liquidez, os compromissos assumidos com terceiros são honrados em dia, além de ampliar os lucros sobre investimentos. Algumas decisões e atitudes podem afetar, de maneira positiva ou negativa, a liquidez e os resultados operacionais da empresa: redução dos estoques e dos prazos de recebimento, aumento dos prazos de pagamento, aumento dos lucros etc.

PALAVRAS DO AUTOR |

Todo empreendedor deve conhecer um pouco de contabilidade e finanças, de maneira a conhecer e entender os números da sua empresa para a melhor tomada de decisões. Afinal o que não se pode medir, não pode ser gerido!

Uma confusão básica que há entre os empreendedores iniciantes e, mesmo entre aqueles que já estão operando há mais tempo, é o uso das palavras contabilidade e finanças como sinônimos. A contabilidade trata dos números da empresa e sua evolução patrimonial, enquanto a área financeira trata das análises de fluxo de dinheiro na empresa. Contabilidade e finanças estão lado a lado na importância empresarial. É fundamental para o planejamento de qualquer negócio saber o quanto se tem de patrimônio, de ativos, de capital de terceiros e, ao mesmo tempo, equacionar essas informações com o fluxo de caixa, ou seja, o que entra e o que sai da empresa, e, principalmente, quando isso acontece e o que sobrará.

Ao contrário do que muitos pensam, a área de contabilidade da empresa não deve ser colocada como despesa desnecessária, mas, sim, ser tratada como área vital para as decisões gerenciais.

Nas empresas mais bem sucedidas, a função contabilidade e finanças tornou-se um parceiro estratégico que fornece informação crítica para a tomada de decisões estratégicas – rápida e eficazmente.

Trazer valor ao cliente é importante. Motivar empregados para que trabalhem juntos de forma eficaz é importante. E trazer lucros aos sócios é importante. No passado, a prioridade da empresa dirigia-se para a satisfação das necessidades dos sócios. Com a implementação de novas práticas de gestão, o ponto fulcral alargou-se para incluir clientes e empregados. Os três grupos de atores contam. Os três grupos precisam de gestores que saibam como conduzir as finanças da empresa, usando o capital da melhor forma, para proteger a solvabilidade da organização e para dar-lhe uma base financeira segura, a partir da qual poderá crescer e prosperar.

Em todas as empresas existe concorrência pelos recursos financeiros à medida que as estratégias de investimento são avaliadas e programadas. Possuir uma compreensão básica dos conceitos financeiros essenciais ajuda os gestores de todas as áreas de negócio a tomar decisões inteligentes e informadas, que contribuam para os lucros e conduzam a um melhor desempenho.

Somente conhecimento de determinado produto ou serviço, ou extrema habilidade e competência em alguma atividade, não bastam para garantir sucesso ao novo empreendedor. É necessário combinar isso com criatividade, inovação e habilidade para com os números. Eis aqui um grande desafio para a maioria dos novos empreendedores, por exigir um esforço adicional – afinal, nem todos têm facilidade para lidar com contabilidade e finanças. É praticamente obrigatório o conhecimento de conceitos essenciais, como capital de giro, custo do capital, lucro operacional, bem como a estrutura contábil de uma empresa, pelo menos em nível básico. O domínio da dinâmica financeira e contábil de uma empresa é primordial para planejar com segurança e evitar excessos de entusiasmo e decisões precipitadas.

Joaquim José Fagundes Rocha

Primavera de 2014

FORTUNA CRÍTICA |

O brasileiro é um craque. O rei dos dribles surpreendentes. Mas não é dessa forma, na base do improviso, que deve ser administrada uma empresa. O professor Joaquim Fagundes ensina na presente obra como gerir tecnicamente uma empresa. O faz, porém, com a sabedoria e o talento do treinador que disciplina o craque sem tolher sua criatividade. Leiam, apliquem e "corram pro abraço".

Bernardo Atem Francischetti, Advogado e Mediador
da Organização Mundial da Propriedade Industrial - Ompi

Este livro é para vocês que assim como eu, têm uma ideia e um sonho e transformam isso em um negócio. Para fazer nossos sonhos virarem realidade, precisamos estar atentos aos aspectos financeiros, e é exatamente isso que o Joaquim traz com muita didática para todos nós neste livro.

Marcelo Felippe, autor do livro *Transformando Pessoas*,
Trainer em PNL, *Coach*, Facilitador e Palestrante
atuando há mais de dez anos no mercado corporativo

A obra sintetiza de maneira prática e objetiva as principais questões que norteiam os aspectos contábeis e financeiros do dia a dia das micro e pequenas empresas, sendo, portanto, uma grande contribuição para os empresários e empreendedores.

Alvaro Cravo; Advogado, Sócio do Escritório Álvaro Cravo
Advogados, *Trainer* do Empretec - Sebrae/ONU/Pnud
Professor do curso de Gestão Aplicada às
Pequenas e Médias Empresas do Ibmec/RJ e
Membro do Conselho de Jovens Empresários da Firjan

GLOSSÁRIO |

Ativo: São os bens, direitos e valores, expressos em moeda, que uma empresa tem a receber.

Ativo Circulante: Registra as contas que representam os bens e direitos que estão em constante movimentação.

Ativo Disponível: Registra as contas que representam disponibilidade imediata, como caixa e bancos.

Ativo Permanente: Registra as contas que representam recursos aplicados de maneira permanente, como os móveis, as máquinas e outros.

Ativo Realizável a Curto Prazo: Registra as contas que podem se transformar em disponibilidade de curto prazo (até o final do exercício seguinte).

Ativo Realizável a Longo Prazo: Registra as contas cujos valores estarão disponíveis apenas após o encerramento do exercício seguinte.

Concordata: Tem-se concordata como um benefício legal concedido ao negociante insolvente e de boa-fé, obrigando-se-lhe a liquidar suas dívidas de acordo com a sentença proferida pelo juiz do foro em que se decretou a falência, suspendendo-a.

"O instituto jurídico da concordata visa resolver a situação econômica de insolvência do devedor, ou prevenindo e evitando a falência (concordata preventiva) ou suspendendo a falência (concordata suspensiva), para proporcionar a recuperação e restauração da empresa comercial." (Professor Rubens Requião, em sua obra *Curso de Direito Falimentar.*)

CONTAS DE RESULTADO: As contas de resultado englobam as receitas e as despesas que permitem apurar os resultados da empresa.

CONTAS PATRIMONIAIS: As contas patrimoniais englobam o ativo, o passivo e o patrimônio líquido, que representam as obrigações da empresa com seus proprietários e as reservas.

CRÉDITO FISCAL OU TRIBUTÁRIO: Crédito tributário é a quantia devida a título de tributo. É o objeto da obrigação jurídica tributária. "O crédito decorre da obrigação principal e tem a mesma natureza desta." (Art. 139 do CTN.) Geralmente, o crédito tributário surge ilíquido, não podendo ser voluntariamente pago pelo contribuinte e nem exigido pela Fazenda Pública, dependendo, portanto, de uma liquidação (seja certo quanto à existência e determinado quanto ao objeto). Tal liquidação é feita pelo lançamento. Com o lançamento, a obrigação jurídica tributária que já existia, mas líquida e incerta, passa a ser líquida e certa, exigível em data e prazo predeterminado.

CUSTOS: São os gastos relacionados à produção ou à atividade principal da empresa.

DESPESAS: São os gastos, fora os custos, necessários à realização das atividades de uma empresa.

Despesas não Operacionais: Registram as perdas de capital, apuradas nas vendas de bens do ativo permanente por valor inferior ao líquido contábil.

Despesas Operacionais: Registram os gastos necessários à manutenção da atividade da empresa.

Departamento Nacional de Registro do Comércio – DNRC.: Órgão cuja finalidade é orientar as Juntas Comerciais com vistas à solução de consultas e à observância das normas legais e regulamentares, podendo para tanto editar instruções normativas.

Elisão Fiscal: Elisão, elusão ou evasão lícita é a subtração ao tributo de manifestações de capacidade contributiva originalmente sujeitas a ele, mediante a utilização de atos lícitos, ainda que não congruentes com o objetivo da lei. Em essência, surge como uma forma jurídica alternativa, não prevista na lei tributária, de alcançar o mesmo resultado negocial originalmente previsto, sem o ônus do tributo.

Evasão Fiscal: Ocorre quando o contribuinte realiza atos ilegais ou fraudulentos após a concretização do fato gerador, visando suprimir, reduzir ou retardar o cumprimento da obrigação tributária.

Falência: No Brasil a definição para economistas e contabilistas é diferente da definição jurídica. O conceito econômico de falência prende-se à noção do estado de insolvência, levando em consideração primordialmente a situação patrimonial do devedor. Já segundo o conceito jurídico, para caracterizar a falência não basta o estado de insolvência: É preciso que haja a execução coletiva das dívidas. De acordo com a definição de Amaury Campinho, "falência é a insolvência da empresa comercial devedora que tem o seu patrimônio submetido a um processo de execução coletiva".

FALIMENTAR: Relativo a um ato ou situação de falência. Para fins falimentares não haverá necessidade de saber se a atividade empresarial é comercial ou não.

ÍNDICES DE RENTABILIDADE OU ÍNDICES DE LIQUIDEZ: Mostram a capacidade que a empresa tem de honrar todos os compromissos que foram assumidos.

INSOLVÊNCIA: A insolvência revela-se pela incapacidade patrimonial de satisfazer regularmente as próprias obrigações. Tanto podem ser insolventes o empresário quanto a pessoa natural.

INSOLVÊNCIA FINANCEIRA: A insolvência é um estado em que o devedor tem prestações a cumprir superiores aos rendimentos que recebe. Portanto, um insolvente não consegue cumprir as suas obrigações (pagamentos). Uma pessoa ou empresa insolvente poderá, ao final de um processo, ser declarada como definitivamente insolvente, em falência ou em recuperação.

IMPUGNAÇÃO: É ato de oposição, de contradição, de contestação, refutação, comum no âmbito do Direito. É o conjunto de argumentos com que se impugna alguma ideia. Do latim *impugnatio*, de *impugnare* (atacar, combater, contradizer), na prática forense quer exprimir todo ato de repulsa, de contestação, de contradita, praticado contra atos do adversário ou parte contrária, pelos quais se procura anular ou desfazer suas alegações ou pretensões, ou impedir que promova ato processual demonstrado ou julgado injusto.

LEI DE FALÊNCIAS: A nova lei, sancionada em 2005, dá ênfase especial para a recuperação judicial e extrajudicial das empresas, de modo que as empresas com problemas de liquidez poderão fazer um projeto de recuperação, sem interrupção de suas atividades. No caso do plano de recuperação judicial ser aceito pelo juiz, as ações de execução dos credores ficam suspensas por 180 dias, podendo esse prazo ser prorrogado por mais 90 dias. A recuperação das empresas substitui a atual concordata, que era uma prerrogativa dada aos devedores comerciantes, em dificuldades, para recuperarem a empresa. A concessão da concordata dependia do atendimento de determinados requisitos e dava aos comerciantes a possibilidade de pagar suas dívidas em condições privilegiadas, no prazo de até 2 anos, mediante pagamento de 40% dos seus débitos no primeiro ano e 60% no segundo ano. A lei abrange todos os tamanhos de empresas. É importante também que o empresário esteja ciente de que, uma vez iniciado o processo de recuperação judicial, ele não pode desistir do mesmo.

LICITAÇÃO: É o procedimento administrativo formal para contratação de serviços ou aquisição de produtos pelos entes da Administração Pública direta ou indireta. No Brasil, para licitações por entidades que façam uso da verba pública, o processo é regulado pelas leis N° 8.666/93 e N° 10.520/02.

LUCRO: Quando o total das receitas é maior do que o total das despesas/custos. Resultado positivo.

PASSIVO: São as obrigações a pagar, ou seja, os compromissos da empresa com terceiros.

PASSIVO CIRCULANTE: Registra as contas que representam os bens e direitos que estão em constante movimentação.

Passivo Exigível a Longo Prazo: Registra as contas que representam disponibilidade imediata, como caixa e bancos.

Patrimônio Líquido: São as obrigações da empresa para com os seus proprietários. Representa os valores que os sócios ou acionistas têm na empresa.

Plano de Contas: Forma de organização e registro de todas as contas de uma empresa.

Perícia Contábil: Constitui o conjunto de procedimentos técnicos e científicos destinado a levar à instância decisória elementos de prova necessários a subsidiar a justa solução do litígio, mediante laudo pericial contábil e/ou parecer pericial contábil, em conformidade com as normas jurídicas e profissionais, e a legislação específica no que for pertinente. (Item 2 da NBC TP 01 – Normas Brasileiras de Contabilidade). Portanto, a perícia contábil tem sua amplitude relacionada à causa que lhe deu origem. Assim, uma perícia que envolva questões tributárias levará em conta não somente a contabilidade em si, como também a legislação fiscal que rege a matéria relacionada aos exames.

Prejuízo: Quando o total das despesas/custos é maior do que o total das receitas. Resultado negativo.

Receitas: É todo dinheiro que a empresa recebe ou tem direito a receber vindo das operações realizadas e que aumente o ativo ou o saldo de contas a receber.

Receitas não Operacionais: São aquelas que não dizem respeito às atividades da empresa.

RECEITAS NÃO OPERACIONAIS LÍQUIDAS: Registram os ganhos de capital, decorrentes de alienação de bens do ativo permanente por valor superior ao líquido contábil.

RECEITAS OPERACIONAIS: São aquelas vendas de produtos, mercadorias e de serviços prestados.

RECEITAS OPERACIONAIS LÍQUIDAS: Registram as contas provenientes de transações (atípicas ou extraordinárias) não incluídas nas atividades principais da empresa.

REFERÊNCIAS BIBLIOGRÁFICAS

IUDICIBUS, Sérgio de e MARION, José Carlos. *Curso de Contabilidade para Não Contadores*, 7ª edição – SP: Atlas, 2011.

MARION, José Carlos. *Contabilidade Empresarial*, 16ª edição - SP: Atlas, 2012.

SÁ, Antonio Lopes de. *Teoria da Contabilidade*. 3ª edição. São Paulo: Atlas, 2002.

http://www.sebraemg.com.br/Geral/VisualizadorConteudo.aspx?cod_conteudo=5550&cod_areaconteudo=1872&navegacao=TENHO_UMA_EMPRESA/Finan%C3%A7as_e_Contabilidade

http://www.sebraemg.com.br/Geral/VisualizadorConteudo.aspx?cod_conteudo=5550&cod_areaconteudo=1872&navegacao=TENHO_UMA_EMPRESA/Finan%C3%A7as_e_Contabilidade.

http://pt.wikipedia.org/wiki/Contabilidade.

http://www.mundosebrae.com.br/2010/04/o-direito-a-informacao-e-a-concessao-de-credito.

Corrêa, Elisa e Filho, Wilson Gotardello: http://revistapegn.globo.com/Revista/Common/0,,EMI131421-17141,00-COMO+AS+MICRO+E+PEQUENAS+EMPRESAS+PODEM+COMPETIR+NA+WEB.html.

Corrêa, Elisa e Filho, Wilson Gotardello: http://revistapegn.globo.com/Revista/Common/0,,EMI86692-17152-2,00-COMO+GANHAR+DINHEIRO+COM+A+REVOLUCAO+DIGITAL.html.

Simão, Aguinaldo; e Natal, João Carlos, Curso Contabilidade para empresários - EAD - 2012 © Serviço de Apoio às Micro e Pequenas Empresas de São Paulo – SEBRAE-SP

Conselho Regional de Contabilidade/SP http://www.crcsp.org.br/portal_novo/publicacoes/escrituracao_contabil/capitulo_3.htm#c_3_04.

Artigo, Revista Acadêmica da FACECA – RAF, v.1, n.8, pag. 18-27, jan. dez/2010.

Gestão e Liderança. Disponível em <http://www.gestaoelideranca.com.br/sistema/codigo/imprime_artigo.asp?site=...>.

Bastos, Roseli Quaresma. Artigo, Elisão e evasão fiscal: Os limites do planejamento tributário

http://www.ambito-juridico.com.br/site/index.php?n_link=revista_artigos_leitura&artigo_id=8325.

Artigo, PORTAL EDUCAÇÃO http://www.portaleducacao.com.br/contabilidade/artigos/28475/a-importancia-do-planejamento-tributario-para-as-micro-e-pequenas-empresas#ixzz2c2i4b6YX

Edição e Publicação de livros
que venham contribuir para o bem-estar,
alegria e crescimento de todos os seres.

contato@sementeeditorial.com.br
tel.:(21) 2567.2777 / 98207.8535

www.sementeeditorial.com.br

semente editorial